しのび寄る国家の道徳化

雍井 敏正

本の泉社

目次

第１章　安倍政権の特異な性格と自民党改憲草案

はじめに

二〇一九年七月の参議院選挙の結果、与党は多数派を維持したが、安倍首相がこの選挙の最大の争点とした憲法「改正」問題について見れば、維新の会を含めた改憲勢力は、非改選議席と合わせても、改憲の発議に必要な三分の二の議席を得ることはできなかった。しかし改憲に執念を抱く安倍首相は今後、自民党総裁選での四選を視野に長期政権を目指しながら、なりふり構わず改憲に突き進むことが懸念される。

加えて心配なのは、戦後二番目に低いといわれる今回の選挙の投票率である。その理由については、さまざまな角度からの分析が必要であるが、政治への関心の低さが、権力者の暴走の要因になることを考えるならば、この問題を軽視することはできない。なおこの点については、議会制民主主義の矛盾と絡めて、第３章で触れる予定である。

以下本章では、立憲主義を踏みにじる安倍政権の性格、また九条加憲をはじめ四項目の改憲提案と、その背後にある復古主義的自民党改憲草案の危険性などについて論じることとする。最初に取り上げるべきは、安倍政権の特異な性格である。

1　自民党の歴史における安倍政権の特異な位置

河野洋平氏と小沢一郎氏の安倍政権評価

安倍政権の特異な性格を明確にしておくことは野党協力を含め、今後の政治的戦略を誤らないための重要な条件である。特異な性格とは極めて右寄りの性格、すなわち歴史修正主義的で復古主義的な性格であり、そして政権や党運営における強権的性格である。内閣の大半が、民族主義的右翼団体である日本会議の閣僚で占められていることは、周知の通りである。この右寄りの性格は後で述べるように、現実主義的政策、例えばアベノミクスのような経済政策の陰に隠れがちであるが、ある政策領域（教育）では明確に現れているし、またそれがもっとも重大な影響を与えるのは防衛問題であり、憲法問題である。特に憲法が国のあり方を決めることを考えるならば、改憲に前のめりの安倍首相の姿勢の危険性が分かるであろう。

この点については、自民党内部でも懸念する声があることを指摘しておこう。雑誌『世界』（二〇一九年七月号）のインタビューで、元自民党総裁の河野洋平氏が次のように語っている。「私の政治家としての経験から言っても、これほど右に傾いた政権はありません」(1)。また現在は自民党から離れているが、かつては自民党の中枢にいた小沢一郎氏も、次のように述べていた。「自民党というのはものすごく視野の広い、そしてあらゆる許容範囲の広い政党でした。でも、いまはもう安倍さんの言うことに一言も楯をつく奴がいない。違うことをいう奴もいない。異常な状態だね。僕はもう小泉・安倍政権では、かつての自民党はなくなった、もう自民党ではないと言っています。考え方もそうだし体質もそうだし、あらゆる意味でかつての自民党ではない」(2)。

問題はこのような安倍政権が一強と呼ばれ、長期にわたり継続していることである。もちろんそれは民意を反映しない選挙制度と、低い投票率の賜物であり、国民多数の支持によるものではない。しかしすでに安倍政権下で、質の悪い右翼的政治家が量産、重用され、また官邸主導の名で不公正な官僚人事がなされてきた。また年金問題など国民にとって重要な課題について、まともな国会審議もなされない状態である。憂慮されるのは、そのことが日本の政治の質だけでなく、官僚機構自体のあり方を変質させているという事実である。モリカケ問題や桜を見る会問題における公文書の改ざんや隠ぺい、廃棄問題などはその一つの現れである。そして最大の問題は、この政権が憲法をないがしろにし、集団的自衛権の容認をはじめ立憲主義の原則を公然と否定している事実である。この点にこそ、かつての自民党政治との大きな違いがある(3)。そして最大の問題は、安倍政権の長期化によって、国民がその異常なやり方に慣れてしまうことである。

安倍政権は誰の後継者なのか

ところで、このような特異な性格を有する安倍政権は、どのような経緯で成立したのであろうか。第一次安倍政権の前の政権は小泉政権であったが、安倍政権の誕生に小泉元首相が、大きな役割を果たしたことは否定できない。サプライズ人事で政治経験の乏しい安倍氏を幹事長に抜擢し、後に官房長官に登用したのは小泉氏だからである。その後、小泉政権を引き継ぐ形で第一次安倍政権が成立（二〇〇六年）することになる。しかし最近の小泉氏の発言を見れば分かるように、二人の政治的スタンスにはかなりの違いがある。

小泉氏は靖国神社参拝を繰り返したが、それは政治的打算による面が強く、現状での改憲に否定的であることから分かるように、根っからの保守主義者ではない。彼の最大の政治的課題は郵政民営化に代表される、新自由主義的行政改革にあった。

安倍首相の政治的信条はむしろ、かつての中曽根首相のそれに似ている。この二人には思想上、政策上の共通点が多い。よく知られているように、中曽根元首相は就任後すぐに「戦後政治の総決算」という戦前回帰的なスローガンで、自らの政権の役割を世間にアピールし、A級戦犯合祀後（一九七八年）、初めて首相として靖国公式参拝をおこなった（一九八五年）。中国などアジアからの抗議により一度で終わったが。また外交では、武器輸出三原則の例外を設け、対米武器技術供与を実現させ、さらに防衛費のGDP一％の制約を破った。この政治的スタンスは、「戦後レジームからの脱却」を標榜し、軍拡を進める現在の安倍政権のそれとよく似ている。

また後で論じるように、安倍首相は教育「改革」に熱心であるが、中曽根元首相も臨時教育審議会を立ち上げ（一九八四年）、教育改革を推進した。保守的な政治家ほど教育に熱心なのである。ただこの改革は、新自由主義による教育の規制緩和が中心で、彼の宿願であった教育基本法の改定を実行することはできなかった。それは後に安倍第一次政権で果たされることになる。また二人とも日本会議との関係が深い。このように見ると、二人の政治的スタンスが、大変似ていることが分かる。

しかし異なるのは、両者の置かれた政治的環境である。つまり中曽根内閣は「田中曽根内閣」と呼ばれたように、田中派の影響が強く、自らの政策を貫くことができなかった。閣僚には田中派が多く、第一次政権の官房長官はハト派で知られる後藤田正晴氏であった。彼がイラン・イラク戦争時に、海上自衛隊の掃海艇のペルシャ湾派遣を、中曽根首相に断念させたことはよく知られている（一九八七年）。これに対して現在の安倍政権は日本会議派の大臣で固められており、小沢氏も言うように閣内はおろか党内でも、彼に異を唱える者はほとんどいない。それだけに彼の政治路線がストレートに実現される可能性が高く、警戒が必要なのである(4)。

自民党は二つに分かれるべき――田中秀征氏の提案――

このような安倍政権の現状と評価を踏まえ、「自民党は二つに分かれた方がよい」と提言するのは、かつて自民党の衆議院議員の経験もある田中秀征氏である。彼の著書『自民党本流と保守本流・保守二党ふたたび』は、その主張の根拠となる自民党結党以来の、性格の異なる二つの潮流の違いを明確に描き出している点で面白い(5)。

氏によれば、二つの潮流とは石橋湛山をルーツとする保守本流と、岸信介をルーツとする自民党本流である。従来の捉え方では、保守合同以前の吉田茂（自由党）と鳩山一郎（民主党）を自民党のルーツとするのが常識であるが、彼はあえて思想潮流の違いが明確な、石橋湛山と岸信介を上げている。

田中氏が自民党本流と名付けた政治潮流の特徴は、自主憲法制定を謳う自民党の結党時の綱領に現れているが、実際に総理大臣を務めたのは、石橋湛山、池田勇人、田中角栄、大平正芳、宮澤喜一、橋本龍太郎、小渕恵三など保守本流に属する政治家が多い。そして自民党本流に属す最右翼が現在の安倍晋三首相である。自民党本流に分類される首相でも、森喜朗氏は神の国発言で評判が悪かったが、バランス感覚があり、また福田康夫氏はハト派の性格が強い。その点で安倍首相の右翼的体質は、飛び抜けているのである。

一方、保守本流は戦前から軍国主義に反対し、小日本主義を説いた石橋湛山をはじめ、所得倍増政策を実行した池田勇人、日中国交回復を実現した田中角栄などの外交政策にあるように、その特徴は平和主義であり、経済中心主義である。したがって憲法改正には消極的である。

一方、自民党本流のルーツ岸信介の一貫した信念は、戦前の体制の肯定に基づく憲法「改正」である。それは太平洋戦争を肯定する、彼の以下の言葉によく現われている。「名にかえてこのみいくさ（聖戦）の正しさを来世までも語り残さん」(6)。岸は六〇年安保問題で辞任した後も、弟の佐藤栄作の後に再登板する野心を抱いていたという。もちろん改憲の執念からである。現在の安倍首相は自ら認めるように、母方の祖父・岸信介のこのような執念を引き継いだと言える。

改めて整理するならば、両者の大きな違いは現憲法への態度にある。自民党本流はこれを占領軍の押し付けと主張し、自主憲法の制定を主張するが、保守本流は平和憲法を戦後の日本のあり方を示すものとして尊重する。まさに一八〇度の違いというべきであろう。もっとも尊敬する政治家として石橋湛山を上げる宮沢喜一は、いつも憲法を持ち歩いていたというが、『新護憲宣言』という本も出している(7)。さらに両者には権力者としての自制感覚において大きな違いがある。これは国民に対する謙虚さの違いとして現われるが、自制感覚を欠けば、権力者としての横暴さが現れることになる。安倍首相の立憲主義否定や国会軽視、国民無視の政治姿勢には、権力者としての自制感覚の欠如がよく現れている(8)。

二つの潮流は水と油のような関係と思われるが、それが混在してきたところに、これまでの自民党政治の幅の広さがあった。しかし安倍一強と言われる現状では、自民党本流の右寄りの面ばかりが目立っている。だから田中秀征氏は今こそ、保守本流は自民党本流と袂を分かつべきである、と言うのである。しかし現在の自民党内の保守本流は、せいぜい岸田派と竹下派ぐらいである。自民党の良質な伝統は、野党が引継ぎ護る以外ないということであろう。

安倍流復古主義と道徳教育の教科化

話を戻すが、冒頭で述べたように、復古主義的政策は現実の政治では見えにくい。しかしある分野ではそれが明確な形として現われる。それは教育である。安倍首相はかねてから青少年の規範意識の現状を問題視していたが、第一次政権（二〇〇五年〜二〇〇六年）において戦後初めて教育基本法を改定し、愛国心や道徳性の育成を教育目標（第二条）に盛り込んでいる。そして第二次政権発足後すぐに教育再生実行会議を立ち上げ、中央教育審議会の従来の考え方を変更させて、道徳教育の教科化を実現させた。すでに小学校では二〇一八年四月より、また中学校では二〇一九年四月から教科書を使った道徳教育が始まっている。教科化のきっかけは大津のいじめによる自殺事件（二〇一一年）と言われているが、実は安倍首相は短命に終わった第一次政権で、すでに教科化の実現を企図していたのである。

道徳教育の教科化は、彼の右寄りの政治信条が最もよく現れた政策であるが、そこには近代国家の基本的なあり方に関わる、憂慮すべき問題が隠されている。教科化は国が定めた一定の道徳の内容＝徳目（道徳の指導要領で規定）に基づいた検定教科書を使用し、生徒の道徳性を評価することを柱としているが、そのことは国家が子どもの心のあり方をコントロールすることを意味している(9)。もちろん道徳性を含め人格の発達は、教育の最大の目標であるが、それは子どもの個性と能力を引き出すためであり、国家が望む人間を育成するためではない。

保守的な政治家ほど教育に熱心であると述べたが、それは彼らが自らの主義主張によって国民を統合し、一つの価値観で国民を導きたいからである。そのことは夫婦別姓や外国人の参政権を認めない安倍政権の政策にあるように、社会の多様性を否定する彼らの不寛容さを示している。

この点で思い出すべきは、戦前の修身科である。道徳が教科化された典型的な形態である修身科では、国定の教科書が使用され、評価も数値や優・良・可など明確な段階評価がおこなわれていた。特に明治中期以降、修身科は筆頭科目化され、授業時間も格段に増えたが、それはイデオロギー的な国民統合を強化し、国体と軍国主義的国策に忠実な国民を養成するためであった。そのような教育の中心に据えられたのが、天皇への忠節を誓わせる教育勅語である。そして修身科教育の結末が悲惨な戦争の悲劇であった。戦後、占領軍（ＧＨＱ）が修身科を禁止し、その後一九五八年に「道徳の時間」が特設されるまで、道徳関連の時間が設けられなかったのは、そのためである。

教育を支配することは国民全体を支配することにつながる。子どもはやがて大人になるからである。それだけに社会の多様性を重視し、それに基づく民主主義を護るために、教育の政治的中立性、さらに国家の道徳的中立性は厳しく順守されねばならない。そのような近代国家の原則を侵そうとしているのが、安倍政権なのである。それだけではない。警戒すべきは今後、教育勅語の容認に見られるように、彼らが押し付けようとする道徳教育が、戦前回帰的傾向を帯びてくることである。教科書選定に際し、パン屋が日本の伝統に相応しくないとして、和菓子屋に書き変えられたというお粗末な話があったが、ここにも「伝統」や民族性にこだわる政権の歪んだ体質が現れている。それだけにわれわれは、道徳教育の今後に注意しなければならないのである(10)。

2 安倍首相と自民党改憲草案

二〇一二年の改憲草案と政治家・安倍晋三

道徳教育が危険な傾向にあるとしても、その暴走の歯止めとなっているのが、人権や国民の教育権を規定した現在の憲法である。しかし仮にこの憲法が大きく変わり、子どもの個性的発達や人権が軽視されるようになれば、その歯止めが無くなり、復古派の思うような国家主義的な教育政策が大手を振ってまかり通ることになる。それが杞憂であれば良いが、必ずしもそうとは言えないところに、現在の深刻な政治状況がある。というのは二〇一九年の参議院選挙で、安倍首相は九条を中心とした改憲案を争点にしたが、その背後には二〇一二年に決定された、反近代的で復古主義的な自民党の改憲草案があるからである。集団的自衛権の行使容認をはじめ、安倍政権の政策が立憲主義否定であることは明らかであるが、憲法自体が個人の権利を保障せず、逆に「国防の義務」や「道徳的責任」を国民に押し付けるようなものであれば、立憲主義の概念それ自体が成り立たなくなる。現在の自民党の正式な改憲草案は、そのような驚くべき代物なのである。

そこで以下、草案の内容についてやや詳しく分析し、その現実化の可能性について考えてみることとする。その前に少し説明しておくべきは、安倍首相と草案との関係である。この草案が決定されたのは二〇一二年四月である。この時には安倍晋三氏は下野した自民党で重要な役職には付いていないが、側近の磯崎陽輔議員（当時、自民党憲法改正推進本部事務局長、その後安倍首相補佐官などを歴任）などを通して、影響力を行使していたことは間違いないところであり、この復古主義的草案を高く評価していた。

事実、二〇一二年のある雑誌の対談では、相手の作家、百田尚樹氏に以下のように語っている。「自民党は保守政党だという位置付けを強調すべきです。……先日取りまとめた憲法改正草案も、前文に『日本国は国民統合の象徴である天皇を戴く国家』と記し、国防軍も明記しました。ところがそのことが、一般の国民にはほとんど伝わっていないのです。支持率が回復しない要因の一つが、ここにあると思います。……私が谷垣総裁をはじめ党執行部に注文を付けたいことは、もっともっとこの理念を自分自身の信念、情念の発露として国民に訴えかけ、伝えていくべきではないかということです」(11)。

安倍首相の発言にあるように、改憲草案はまさに「美しい国」を唱える、復古派イデオローグとしての彼の「情念の発露」なのである。ところでなぜこのような反近代の復古主義的代物が、正式に自民党の憲法草案として決まったのであろうか。そこには当時の民主党の台頭がある。民主党によって政権を追われた自民党は、自らのアイデンティティをより右に移動せざるをえなかった。自民党のなかではリベラル派に属する谷垣総裁が、この草案を容認した理由がそこにある。いずれにしてもこの草案は、政治家安倍晋三の政治的信条にピッタリと合うものであり、今後の改憲論議において陰に陽に影響力を与えることが懸念される。

舛添さんもびっくりの立憲主義否定――二〇〇五年草案との落差――

ところで二〇一二年の草案の異常さは、結党五〇年を機に、二〇〇五年に決定された自民党の改憲草案と比較することによってよく分かる。後者にはもちろん賛否はあるが、憲法学者も普通に読める草案であると言われている。わたし自身もそれほど大きな違和感なく読んだことを憶えている。そこでは自衛権を認め自衛軍として自衛隊を明文規定しているが、象徴としての天皇の位置づけは変わっていない。また人権規定も基本的に変わっていない(12)。

同じ自民党が作成した二つの草案の大きな落差こそ、自民党の変化と右派の台頭を示している。実は二〇〇五年の草案作りに事務局次長として関わっていたのが、当時自民党参議院議員であった舛添要一氏である。なお事務方の責任者は森喜朗氏、当時の総裁・首相は小泉純一郎氏であった。あまり知られていないが、舛添氏は著書『憲法改正のオモテとウラ』において、草案作りのプロセスと苦労について語っている(13)。

舛添氏の回想を読むと、当時においても自民党内にかなりの意見の隔たりがあったことが分かる。氏の回想を以下にまとめておく。会議では天皇や安全保障、国民の権利と義務をめぐって、路線の対立が鮮明になった。自民党らしさを強調するものと野党との協議を重視するものが対立した。メディアはこれを、「理念派と現実派」「復古派と協調派」などと表現した。前者は中曽根康弘、安倍晋三、後者は森喜朗、宮澤喜一、橋本龍太郎、与謝野馨、福田康夫など首相経験者を中心とする各氏で、舛添氏も後者の立場であった。なお安倍氏は前文小委員会の委員長代理（委員長は中曽根康弘元首相）を務めている。復古派の彼は「自民党が結党されたのは、占領軍のいるときに作られた憲法を日本人の手で書き換えるためだ」と主張した。これに対し当時政調会長の与謝野馨氏は、「憲法改正には国会議員の三分の二の賛成が必要だから、独りよがりの案を作っても相手にされない」と反論したという。なお前文小委員会には、中曽根氏や安倍氏など復古派が多かったという。二〇〇五年草案の時点で、すでに安倍首相は復古的前文に固執していたのである。

しかし最終的には、当時の小泉首相の裁可を経て、現憲法から大きく逸脱しない、立憲主義の立場を守った草案が正式決定されることになる。その後、自民党が二〇〇九年に下野し、全く様相の異なる二〇一二年の草案が作られるに至ったことは、すでに述べた通りである。二〇一二年の草案を見て、舛添氏は驚きを隠せず、以下のように述べている。「それにしても、『第二次草案』の出来映えは芳しくない。政権を担っている党が、人類が長年の努力を重ねて国家権力から勝ち取った基本的人権を、『西欧の天賦人権説』として否定するような愚は許されることではない。私は、主権者である国民の一人として、立憲主義の原則に反するような憲法を書くつもりはない。自民党が、『第二次草案』をそのままの形で提案するのならば、私は国民投票で反対票を投じる」[14]。舛添氏は都知事としては失敗したが、政治学者として極めてまともな感性を有していたわけである。なお彼は二〇一〇年に自民党を離党している。

権利否定を宣言する改憲草案前文

さてここで舛添氏も驚いた立憲主義否定、人権否定の現改正草案の問題点を具体的に分析しておこう(15)。まず前文である。前文は憲法全体の性格を規定するものであり、重要な意味を有しているが、草案は冒頭の「日本国は、長い歴史と固有の文化を持ち、国民統合の天皇を戴く国家であって」という書き出しから始まり、「日本国民は国と郷土を誇りと気概を持って自ら守り、基本的人権を尊重するとともに、和を尊び、家族や社会全体が互いに助け合って国家を形成する」と書かれている。

舛添氏も述べているように、近代憲法はどこの国においても前文は短く、あっさりと実務的に書かれているものである。それは近代国家と人権が普遍的な性格を有しているからである。草案のように日本の国柄規定を入れることは、この普遍主義を国や民族の特殊性によって縛り、また骨抜きにすること、つまり近代憲法の基本性格を否定することを意味している。草案でも「基本的人権の尊重」は書かれているが、それは日本国という特殊な文脈において制約されることになる。そのことは後の人権規定を見れば分かる。またこの点については詳しくは触れないが、そもそもここに書かれている日本の姿は、とても実像とは思えない。まして外国人の割合が増え、グローバル化しつつある日本のこれからの姿には、全くそぐわないものである。

加えてこの前文では、「国と郷土を誇りと気概を持って自ら守り」や「互いに助け合って……」などの表現にあるように、国民の責任や義務が規定されている。これは特定の価値観に基づく特定の生き方を、国家が国民に指示することを意味している。個人の自己決定権や生き方の多様性を保障するところに、人権や近代憲法の意義があることを考えるならば、このような生き方の押し付けは、憲法の名で憲法を否定するに等しい。

安倍首相が高く評価した前文について言えば、憲法の何たるかを知らない無知な人間の作文と言わざるを得ない。事実、草案作成の実務責任者の礒崎陽輔議員は、ツイッターで立憲主義について「……学生時代の憲法講義では聴いたことがありません。昔からある学説なのでしょうか」(二〇一二年五月二七日)とツイートしているのである。ところが彼が講義を受けたはずの憲法学の大家、芦部信喜・元東大教授の教科書には、立憲主義の説明が十分になされているのである。憲法を起草する資格があるとは、とても思えない発言である。

「個人の尊重」から「人の尊重」へ

次に人権保障にかかわる条文を取り上げ、分析することとする。なお復古主義的性格に焦点を絞るので、ここでは九条問題や緊急事態条項は詳しく論じないこととする。まず人権保障の前提となる、「個人の尊重」についてである。自民党の改憲草案の一三条は、現憲法の一三条(個人の尊重)に対応しているが、その内容には天と地の差がある。現憲法では「すべて国民は、個人として尊重される」と書かれ、その制約条件として「公共の福祉」が上げられている。

ところが改憲草案一三条では、「全て国民は、人として尊重される」と書かれている。「個人」が「人」

に置き換えられているのである。これには重要な含意がある、というのはこの点に、草案の権利の軽視、立憲主義否定の立場が現れているからである。というのは個人という概念は、国家との対立関係において使われる言葉なのであり、「個人の尊重」という言葉には、国家権力の横暴や抑圧に対して個人の尊厳や権利を護る、という意味が込められている。その前提には、権力は本質的に国民を抑圧するものであるという命題がある。したがって権利とはまず何よりも、国家権力に対して守られるべきものなのである。これは「権利」とその前提としての「個人の尊重」を語る上で、必須の前提である。

「個人の尊重」を「人の尊重」という言葉に置き換えることは、対国家権力との関係を隠し、個人の尊重や権利概念を骨抜きにすることを意味している。「人」という概念は、もともと動物との関係で定義される生物学的意味合いが強い。手元にある国語辞典（金田一京助『国語辞典』明治書院）には、人＝われわれの同類として、他の一切の生物から区別されてその存在が認められる動物、と最初に書かれている。個人の対立概念は国家であるが、人の対立概念は動物である。それ故「人の尊重」とは、人間を動物扱いしないといった程度の意味に過ぎなくなる。

関連して、かつて問題となった人権擁護法案や、最近の部落差別解消推進法について触れておこう。これらの法案の問題点は、権力を侵害する最大の当事者である国家が、人権擁護や市民社会の権利問題に介入するところにある。国家（法務省）肝いりの組織（人権擁護委員会）が、個人の人権を語るところにそもそもの矛盾がある。国家が正義漢面をして、人権侵害の名でメディアなどの表現の自由を抑圧するとすれば、本末転倒も甚だしいと言うべきであろう。

問題はそれだけではない。権利の制約原理として、現憲法では「公共の福祉」が上げられているが、草案では「公益及び公共の秩序」という概念によって置き換えられている。「公共の福祉」は個人間の権利相互の矛盾を調整する原理である、というのが憲法学の通説（内在的制約説）であるが、「公益」や「公共の秩序」といった、個人超越的な概念によってこれに代えるならば、国家が個人のあらゆる権利を制限できることになる(16)。「公共の秩序」など政府によっていかようにも解釈できるからである。なお草案では、二一条において「公益及び公の秩序」が「表現や集会、結社の自由」を制限する原理として上げられている。これでは明治憲法と変わらないと言うべきであろう。

「憲法」に縛られる国民――戦争のできる国から戦争への動員へ!?――

草案の前文や一三条から分かることは、自民党は憲法を「国家による権力行使を制限するもの」ではなく、「国民を縛るもの」として捉えている、ということである。この点は憲法擁護義務の規定において明確に現れる。現憲法では、九九条において「天皇又は摂政及び国務大臣、国会議員、裁判官その他の公務員は、この憲法を尊重し擁護する義務を負う」とあるが、これは立憲主義の原理を端的に表したものである。ところが草案では一〇二条に、「全て国民は、この憲法を尊重しなければならない」とある。権力者ではなく、まず国民が憲法を守るべきだというのである。

そして第二項には「国会議員、国務大臣、裁判官その他の公務員は、この憲法を擁護する義務を負う」と書かれているが、現憲法にある「天皇又は摂政」が、憲法順守義務の対象から外されている。草案では天皇を象徴ではなく、元首とすることになっているが（一条）、これでは元首には憲法順守義務が無いということになる。驚くべき憲法である。なお明治憲法では天皇は元首と規定されていたことを思い起こすならば、これは憲法に縛られない天皇の統治に道を開くものと勘ぐられても仕方がないであろう。なお前掲書で舛添氏は、「国民が、自らの自由・権利を守るべく、国家権力を制限するために憲法を書いたのであるから、国民自らが憲法を守るのはいわずもがなである」と言い、二〇〇五年草案の検討時には「九九条の冒頭に国民の憲法尊重擁護を書くというような意見はなかったと記憶する」と述べている(17)。

いずれにしろ、憲法が権力を縛るものではなく、国民を縛りその生き方を指示するものであり、しかもその生き方が、すでに述べた復古主義的で国家主義的なものであるとすれば、これはもう近代憲法ではなく、戦後版の教育勅語と言うべきであろう。

その行きつく先がどこであるかは、容易に想像がつく。第九章に追加された「緊急事態条項」や前文に明記された国防の義務（日本国民は、国と郷土を誇りと気概を持って自ら守り……）などをつなぎ合わせると、この草案は戦争状態を想定したものと考えざるを得ない。歴史は繰り返すと言うが、日本人が戦争の悪夢を再び経験しないために、安倍自民党の支配を一刻も早く終わらせる必要がある。

最後に関連して、政教分離問題に触れておこう。現在の憲法が戦前の国家神道の反省を踏まえ、厳しく政教分離を規定している（二〇条）ことは周知の通りであるが、自民党草案では政教分離の例外規定を設けている。それは「……ただし、社会的儀礼又は習俗的行為の範囲を超えないものについては、この限りではない」というものである。これは自治体による地鎮祭などの神道的儀式を、「習俗的行為」として公認することを意味していると考えられるが、それに止まるものではない。むしろ狙いは、首相の靖国参拝や皇室の大嘗祭などを国の行事として正当化するところにある。これは国家神道の再来に道を開くものと言っても過言ではない。かつて靖国神社国家護持法案を断念した自民党が、今度は憲法を変えることによって、自らの意思を通そうとしているのである。復古主義もここに極まるという感がある(18)。

【注】

（１）「政党・政治家への直言」『世界』二〇一九年七月号（岩波書店、二〇一九年七月）三八頁。
（２）平野貞夫『野党協力の深層』（詩思社、二〇一六年）二六頁。
（３）自民党の近年の変化を詳しく分析したものに、中北浩爾『自民党政治の変容』（ＮＨＫブックス、二〇一二年）、中野晃一『右傾化する自民党政治』（岩波新書、二〇一六年）などがある。
（４）この辺の経緯は、中北浩爾、前掲書に詳しい。
（５）田中秀征『自民党本流と保守本流・保守二党ふたたび』（講談社、二〇一八年）。
（６）同書、六四頁。これは岸信介が戦犯に指定された時の言葉である。
（７）宮澤喜一『新護憲宣言』（朝日新聞社、一九九五年）。ただし本書は新聞記者とのインタビューをまとめたものである。
（８）権力者としての自制感覚を語る、保守本流に属する政治家の本として、後藤田正晴『後藤田正晴――二十世紀の総括』（生産性出版、一九九九年）がある。そのなかで彼は、日本における民主主義の定着と大衆の判断には間違いがないことを、政治運営において常に頭に置いておかねばならない、と述べている。
（9）道徳の内容は、中学校では四つの柱の下に、「自主自律」、「公徳心」、「国を愛する態度」など、二二項目が定められている。
（10）道徳の教科化については、拙著『教科化された道徳への向き合い方』（かもがわ出版、二〇一七年）を参考にしていただければ幸いである。
（11）中北浩爾、前掲書二四一頁。
（12）憲法学者の長谷部恭男氏は、この草案が思いの他、復古的色彩に欠けていると述べていた。『憲法とは何か』（岩波新書、二〇〇六年）一六頁。
（13）舛添要一『憲法改正のオモテとウラ』（講談社現代新書、二〇一四年）。
（14）同書、二〇三頁。
（15）ここで分析の対象になっているのは、「日本国憲法改正草案Q&A、増補版」であるが、インターネットで簡単に見ることができる。
（16）「公共の福祉」の理解については、高橋和之補訂・芦部信喜『憲法第六版』第六章に詳しい。
（17）舛添前掲書、一九九頁。
（18）自民党の改憲草案の問題点全体について、専門家の立場から批判した書として、奥平康弘・愛敬浩二・青井未帆編『改憲の何が問題か』（二〇一三年、岩波書店）が役に立つ。

補論　保守派と復古派は正反対——中島岳志氏の議論を参考に——

本論で述べたように、田中秀征氏は安倍首相を石橋湛山をルーツとする保守派とは区別して、岸信介をルーツとする自民党本流に位置づけたが、それは安倍首相をかつての保守政治家と区別するためであった。しかしさらに政治家・安倍晋三の本質を明らかにするには、保守思想についての理解が必要である。

保守という言葉はいろいろな文脈で使われており、これを定義することは容易ではないが、そのルーツであるイギリス・ホイッグ党（自由党）の政治家、エドモンド・バークに戻って考えるならば、彼がフランス革命に反対した事実にあるように、保守の第一の特徴は急進主義への反発にある。しかしそのことは、自由の否定を意味しない。その点は彼が自由を守る立場から名誉革命を認め、立憲主義（権利の章典）を擁護した点に現れている。

歴史的伝統を重視し、権利を歴史のなかに位置づける立場から社会契約論や天賦人権説に反対したバークではあるが、そのことは彼の考えが、現在の改憲草案に見られる自民党の考えと一致することを意味しない。なぜなら自民党の天賦人権説に反対する立場は、本論で分析したように、もっぱら個人の権利を制約し、個人を国策に動員することを目指すものだからである。この点は彼らの立憲主義の無理解に現れている。

さらに現憲法が、戦後の日本社会に根づいている事実を踏まえるならば、自主憲法の名でこれを根本的に覆すことは、急進的な変化を嫌う保守主義とは真っ向から対立するものであり、バークがもっとも嫌ったやり方なのである。そう考えると、バークと自民党の権利観には、一八〇度の違いがあると言わねばならない。

ところで急激な変化を嫌い、漸進的改革を求める保守思想は理性に対する懐疑と結びつく。ラディカルで極端なもののなかには、必ず理性への過信が含まれていると考えるからである。事実、フランス革命はジャコバン派の独裁と恐怖政治にあるように、自由の反対物に転化した。

この点は時代の文脈は異なるが、中島岳志氏が明らかにしたように、日本の保守思想家にも見て取れる。彼らは戦後のマルクス主義や革新的時流に反発したが、同時に、戦前の超国家主義や軍部の戦争政策にも反対していたのである。(『保守と大東亜戦争』集英社新書、二〇一八年)その理由は超国家主義にしても「マルクス主義」にしても、特定のイデオロギーに基づいて、社会を設計主義的に改造しようとする点で共通しているからである。なお自民党の改憲草案に現れた急進的な復古主義も、現実を無視した設計主義的思想に基づくものと言えるかもしれない。

この点を踏まえるならば、中島氏の言うように、保守とリベラルとはむしろ親和的な関係にある。中島氏の師である西部邁氏は、「自由民主主義は保守主義であらざるを得ない」(『リベラルマインド』学習研究社、一九九三年)と述べているが、その理由は、保守は理性の万能性や無謬性を疑うが、そのような人間観は自己を相対化し、意見を異にする他者尊重の態度と結びつくからである。

この考えは大衆民主主義と保守主義との異質性、さらに保守主義と立憲主義との親和性をわれわれに教えるものである。というのは、大衆民主主義は多数の「意思」によって、少数派の意見を無視することにより専制化する傾向があるからである。多数の威力で強行採決を繰り返す国会軽視の安倍政権は、その意味で保守とは呼べないというのが、中島氏の結論である(『保守と立憲』スタンド・ブックス、二〇一八年）。安倍晋三の政治的本質を理解する上で、中島氏の分析は有益である。

第2章　復古主義と現実主義のはざま

1　復古主義を阻むいくつかの壁

緊急事態条項の危険性

第1章では、近代憲法の精神を踏みにじる自民党の憲法草案を分析、批判した。しかしこの草案を、国民がそのまま受け入れるとは自民党も考えていないであろう。そのため自民党は、より現実的な改憲提案を用意している。それは、①九条における自衛隊の明記、②緊急事態条項の追加、③教育の充実、④参議院選挙区合区解消、などの四項目から成っている。これらの項目は、公明党や維新の会を取り込むための提案であり、表向きは自民党の改憲草案（二〇一二年）を特徴づける、復古主義的な要素は無いと言ってよい。

しかし要注意なのは、四項目提案のなかに自民党の改憲草案を先取りする項目が含まれていることである。それは、②緊急事態条項である。これは緊急事態の名でもって、国民の権利全体を制約できる条項である。この条項は自民党の改憲草案にも盛り込まれている。そこでは、緊急事態の条件として「外部からの武力攻撃」だけでなく、「内乱等による社会秩序の混乱」が上げられており（九八条）、その場合には、「国民は……国民の生命、及び身体、財産を守るために行われる措置に関して発せられる国その他公の機関に従わなければならない」（九九条）とある。「社会秩序の混乱」というが、「社会秩序」は、草案一三条における「公益及び公の秩序」に対応しており、極めてあいまいで権力者によっていかようにも解釈できる概念である。したがって社会秩序を混乱させるという名目で、特定の政治勢力を弾圧することもできる。

しかも内閣が緊急事態宣言を出した場合においては、「内閣は法律と同一の効力を有する政令を制定することができるほか……」（九九条）とある。法律と同一の効力を有する政令を出すことができるという規定は驚きであるが、これは立法府の上に行政府を置くことを意味している。

この点では安倍政権には「実績」がある。というのは憲法違反の集団的自衛権行使の容認を、閣議で決定（二〇一四年）したからである。これは法律どころか、憲法の上に行政的決定を置くことを意味している。

かつてナチスが、ワイマール憲法の「大統領緊急措置権」を利用して独裁的権力を確立し、反対勢力を弾圧して、他国への侵略を始めたことを忘れてはならない。自民党改憲草案における前文や、一三条の人権規定の問題点についてはは前章ですでに触れたが、人権全体を否定する緊急事態条項の危険性を十分認識しておく必要がある。

仮に緊急事態条項を含む四項目提案が実現すれば、二〇一二年の自民党の復古主義的で立憲主義否定の改憲草案が、部分的に実現することになる。公明党や維新の会が四項目提案に賛成するようであれば、その罪は重い。彼らも立憲主義否定の、反近代的政党と呼ばれても仕方がないことになるであろう。

政治における現実主義

安倍政権が復古主義的な改憲草案の実現を企図したとしても、当然のことながら、簡単に実現するわけでない。その理由は、改憲を発議する国会の勢力分布だけではない。政治の世界の勢力分布は社会の一側面の反映に過ぎないし、仮に改憲勢力が国会で三分の二以上を占めても、改憲草案を国民が受け入れるわけではない。政治（政治家）の世界と市民社会との間には、大きな乖離があるからである。

自民党の改憲草案が発表された当時、右寄りの知識人や活動家からさえ、その余りに復古的で、立憲主義否定の性格に批判の声が上がったことがある。この事実は戦後憲法の定着と市民社会の一定の成熟を示すものである。国会での改憲論議で、自民党が自ら決めた草案を正面から提案できないことが、そのことを示している。

その背景には、復古主義や歴史修正主義の公式な表明を許さなかった、戦後の平和憲法の理念の定着だけでなく、現在の国際関係が存在する。戦後七〇年談話において、安倍首相が曲がりなりにもアジアへの謝罪を含む村山談話を継承せざるを得なかったことが、そのことを示している。逆にそのことが、中西輝政氏のような右派イデオローグの離反を招くことになった。彼は安倍首相を「徹底してドライな現実主義者」に過ぎないと批判したが、まさに戦後の「現実」が、歴史修正主義的言辞を許さなかったのである（1）。

東西冷戦の終結と相互依存を強めてきた市場経済体制は、経済政策を中心とする現実主義的な国家経営を政治に求めてきた。安倍政権が消極的であれ、国民の支持をつなぎとめているのは、アベノミクスに代表される経済政策によってであり（ほぼ破たん状態にあるが）、彼の復古主義的信条や自民党の改憲草案に、国民が賛成しているからではない。

人口減少による深刻な労働力不足に悩む日本経済は、一部の右派の反対を押し切り、安倍政権に移民拡大政策（入管法改正）を採用させたが、経済的要請は中国との関係改善にあるように、閉鎖的な一国主義的ナショナリズムを許さないのである。このように、安倍政権を長期化させてきたのは復古主義的政策ではなく、経済政策を中心とした現実主義と考えるべきなのである。

しかし経済政策は両刃の剣でもある。アメリカをはじめグローバル化による国内の人種的多様化が、その反動としてトランプ大統領の白人中心主義をもたらしたように、グローバル化を推し進める新自由主義的経済政策は、後で論じるように、排外主義的ナショナリズムの呼び水になる、という点にも注意が必要である。

復古主義に反対する天皇家？

ところで安倍流復古主義は、その本丸において挫折を余儀なくされている。改憲草案の前文における日本の国柄規定でまず上げられているように、復古主義の中核に位置するのが皇室であり、天皇制であることは言うまでもない。天皇あっての日本というのが、復古派の主張の原点である。そして草案（一条）にあるように、彼らは国民の象徴としての天皇を元首化し、より権威的な存在へと変えることを目論んでいる。この野望が明治憲法第一条の、「万世一系の天皇による統治」を引き継いだものであることは、容易に想像できる。

しかしもし天皇家が復古派のこのような野望に反対であるとすれば、話は別である。それが彼らにとって、大きな打撃であることは言うまでもない。もちろんその証拠はないが、この間の代替わりに伴う一連の天皇家の動きや発言を総括すると、そう信じるべき理由がたくさんある。

まず現上皇の生前退位である。上皇は強い意志を持ってこれを実行されたが、生前退位を認めることは、天皇という「役職」からの脱出権を認めることであり、天皇の立場と一個の人間を切り離すことによって、天皇制を政治的制度として客体化することを意味している。これは戦前の右翼が天皇機関説を攻撃したことからも分かるように、天皇制を権威化しさらに神秘化するためには、非常に具合が悪い事態なのである。

さらに皇室の神事に絡む問題がある。秋篠宮が代替わりに伴う大嘗祭の予算を、「宮廷費」からではなく「内廷費」から支出することを要望したにもかかわらず、宮内庁長官は聞く耳を持たなかったということがあった（二〇一八年一一月）。宮廷費は皇室の公的行事に使われる公金であり、内廷費は皇室の日常の費用に充てるもので、宮内庁が経理する公金ではない。

そのことを理解すると、秋篠宮の発言は重い。すなわちこの発言は、大嘗祭のような神道的儀式は憲法上好ましくなく、皇室の私的行事としておこなうことが相応しい、ということを意味するからである。なお秋篠宮の意見は現上皇と天皇を含む、三人の考え方であることは間違いないところである。

この要望は当然、宮内庁長官を通して内閣に伝わったはずである。しかし政府がこれを無視した背景には、第７章で触れた自民党改憲草案（二〇条）の政教分離の緩和問題がある。そこには神道に基づく皇室の儀式を憲法上、公認する狙いがあった。以上の点から分かるのは、自民党復古派に比べて天皇家の方が、現憲法に対してより忠実であるということである。

秋篠宮の発言には国民への配慮があるが、それは皇室全体の姿勢の現れである。上皇は国内での大きな災害などの際に、被災者に寄り添う活動を重視してきたが、これは皇室の大衆化路線を示している。これにより皇室に対する国民の支持が高くなったことは、世論調査の結果が示している(2)。彼らはこの路線が、皇室の生き残りのために有効である、と考えているのである。ところが、復古派による天皇の権威化（元首化）は、この路線に逆行する政策なのである。

付け加えて言えば、上皇は沖縄をはじめ戦地を訪問し、戦争被害者の慰霊に力を入れてきたが、これも復古派にとっては都合の悪い行為なのである。それは二〇一八年六月の靖国神社の小堀宮司による、「天皇は靖国神社を潰そうとしている」という発言によく現われている(3)。その発言の意味は、天皇が慰霊のために各地を訪問する一方で、靖国神社を参拝しないことは、靖国神社の価値を低下させるということなのである。

彼はこの発言で宮司を辞めたが、この件は歴史修正主義的復古派による、天皇家に対する本音が出た数少ない例である。

加えて女性天皇の問題がある。万世一系の天皇家は、男子によってのみ継がれるべきというのが、現皇室典範に依拠する復古派の強い主張であるが、男女平等の時代に男子のみの皇統にこだわるのは時代遅れであるし、憲法にも抵触する。しかし超党派の日本会議・議員懇談会は、二〇一九年六月に、その前提となる女性宮家の創設に反対を表明した。これは安倍首相の信念でもあるだろう。しかし世論調査では、女性天皇を認める国民が八割近いと報道されている。現代はもはや復古派の主張を、天皇家だけでなく日本の市民社会も受け入れない時代なのである。

2　復古主義と対米関係

卑屈な小心者の見果てぬ夢

さてこれまで敢えて触れなかったが、改憲草案に現れた復古主義にとっての最大の障害は、アメリカの存在であろう。アメリカが、第二次世界大戦後の世界秩序を形成してきたことは言うまでもない。アメリカの世界支配が、戦争を含む多くの混乱を各地で生み、また平和的秩序の形成の障害となってきたことは明らかである。しかし同時に、戦後の世界秩序が全体主義や独裁ではなく、「自由と民主主義」を看板としてきたことも事実である。そのことは言うまでもなく、第二次世界大戦がナチスのファシズムや日本の軍国主義との戦いであり、それにアメリカをはじめとする連合軍が勝利したことの結果である。

この歴史的事実が、日本の歴史修正主義や復古主義に対して持つ意味を考えることは、そう難しい問題ではない。歴史修正主義が日本のアジアへの侵略とアメリカとの戦争行為を正当化する限り、アメリカがこれを受け入れることはあり得ない。例えば安倍首相の靖国神社への公式参拝（二〇一三年）に対して、当時のオバマ大統領が失望感を表明したことが、そのことを示している。

歴史修正主義だけではなく、復古主義の問題についても、これが先進国における自由主義的民主主義の原理と相いれないことは言うまでもない。したがってアメリカが自民党の改憲草案に対して、違和感を抱くことは当然予想されるところである。この点について、内田樹氏と白井聡氏とがある対談のなかで面白い発言をしているので、以下に記しておく。

内田：……自民党改憲草案の中身は、アメリカの建国理念や統治理念を全否定する内容です。アメリカ政府に向かって、日本政府から「もうあなたたちとは価値観を共有しない」と宣言しているようなものですから、アメリカはムカッとしますよ。

白井：草案を通じて「この連中には立憲主義は理解できないんだ」ということが、はっきりしました。

内田：改憲した日本はアメリカと価値観を共有できるかを考えたら、誰だって「無理」という結論になる。だから、「属国の分際で、宗主国民が信じている統治原理を侮辱するような非礼は許さない」という話がいずれホワイトハウスからも議会からも出てくるでしょう（4）。

事実そうなるかどうかについては次節で再び論じるが、歴史修正主義的な復古主義が、憲法原理だけでなく、安全保障条約を核とする、現在の日米関係とも矛盾することは明らかである。自民党の改憲草案を読んで疑問に思うのは、復古派が日本と先進諸国、特に同盟国アメカとの関係をどう考えているのかという点である。

仮に草案の立場が真正のナショナリムであるならば、対米従属的な日米関係を対等な二国間関係に変えること、そのために取りあえず、屈辱的な日米地位協定の改定に取り組むのが筋であろう。ところが安倍政権は、その素振りさえ見せない。それどころか相変わらず、アメリカの属国的な役割を演じているのである。

この事実から分かるのは、自民党の復古主義は現実がそうであるように、せいぜい目下の同盟者として、アメリカの指揮の下で軍事的役割を拡大することで満足する、卑屈な小心者の見果てぬ夢といった程度のものなのであろう。

もう一つのシナリオ

ところがトランプ政権の出現により、この問題に関しては別のシナリオを考える必要が出てきている。それは彼が非公式にではあれ、日米安全保障条約の破棄を示唆したからである。理由は日本を守るのに費用が掛かり過ぎるからであり、日本は自分の力で国を守れと言うのである。もちろん事実は逆であり、日本ほどアメリカ軍の駐留経費を負担している国はない。またアメリカ軍の日本駐留は日本のためというよりは、アメリカの東アジア戦略と自国の安全のためであるということは、誰でも知るところである。

したがってこの安保破棄発言が、貿易赤字の解消などアメリカの経済的利益の確保を狙った、彼一流の取引材料であることは、容易に察しがつく。しかしアメリカの地位の低下、トランプ大統領の資質などを考えるならば、将来にわたり、全くあり得ない話とは言えない。

ところで東西冷戦終結後、「文明の衝突」という言葉で世界の多極化を予想したのは、S・ハンティントンであった。彼は「相対的な影響力という意味では、西欧は衰えつつある」一方で、「アジア文明は経済的、軍事的、政治的な影響力を拡大しつつある」と述べていた(5)。彼が言うように、アメリカの地位の低下は厳然たる事実である。この傾向が強まった場合、日本の置かれた立場は非常に微妙になる。中国との関係をはじめ、アジアにおける外交上の立ち位置を、再点検する必要があるからである。

しかしこのことを悲観的に捉えるのは間違いである。確かに多極化は新たな混乱の始まりという面がある。しかしそれは問題の一面に過ぎない。より長期的に見れば、多極化は混乱を通した新たな秩序の始まり、と見ることもできるからである。しかもその秩序は、それぞれの文化的相違を尊重した、国際協調を基調とするものでなければならない。すでに述べたように、資本の要求による拙速な地域統合は、EUの混乱にあるように歴史の逆行現象を生むからである。

これとは対照的な地域協力の良い例が、ASEAN（東南アジア諸国連合）である。この地域における、社会体制や宗教の違いを超えた政治的協力関係は、国際協調のモデルになり得るものである。問題は日本を含む東アジアにおいて、このような協力関係ができるかどうかである。

現在の安倍政権に、その資格がないことは明らかであろう。そのことは参議院選挙（二〇一九年七月）の直前に起きた、国内の嫌韓意識を利用した韓国に対する、半導体材料の輸出規制を見れば分かる。それが徴用工問題に対する報復であることは周知のことであるが、そのことは安倍政権が、朝鮮半島における日本の戦争責任を、真に反省していないことを示しているからである。過去の責任に向き合うことができない政府に、新しい国際秩序を語る資格がないことは言うまでもない。この点に、日本とドイツとの決定的とも言うべき違いがある。

それどころか、安倍政権がそれとは逆の行動に出るのではないか、という心配について触れておこう。その心配とは以下のような、政治学者の指摘である。

「トランスナショナルなエリートによるグローバル寡頭支配が国民国家を空洞化している現実が覆い隠せなくなると、今後、反米復古主義によって日本をさらに『取り戻そう』とする声が右傾化に拍車をかけていくであろう。言い換えれば、このままオールタナティブのないまま、新右派連合の暴走がつづくようになると、右傾化の次なるステージは、対米追随路線で抑えきれないところまで復古主義的な国家主義の情念が噴出するようになることである」(6)。

安倍首相にそのような「勇気」があるとは思えないが、トランプ大統領の安保廃棄発言が、その呼び水になる危険性を完全に否定することはできない。日本の平和と安全、そして東アジアの平和的秩序形成のためにも、安倍政権に代わる政治的オールタナティブが求められている。

【注】

（１）中西輝政「さらば、安倍首相」『歴史通』二〇一六年五月号。
（２）『現代日本人の意識構造』（ＮＨＫブックス、二〇一五年）によれば、平成以降、天皇家に対する好感度が大きく増していることが分かる。
（３）『週刊ポスト』二〇一八年一〇月一二日／一九号。
（４）内田樹・白井聡『属国民主主義論』（東洋経済新報社、二〇一六年）七五頁。
（５）Ｓ・ハンティントン『文明の衝突』（集英社、一九九八年）二一頁。
（６）中野晃一『右傾化する日本政治』（岩波新書、二〇一五年）二一三頁。

第3章　安倍政権の暴走と議会制民主主義の矛盾

1　間接民主主義の落とし穴

なぜ政治が民意から離れるのか

「人民の人民による人民のための政治」とは、民主主義の本質を分かり易く表現した、リンカーンの有名な演説の一節であるが、現在の日本の民主主義の現実をこれに照らして、どう評価すべきであろうか。少なくとも国民にとって大事な課題をおろそかにし、改憲に前のめりの安倍政権の姿が、リンカーンの言葉とかけ離れていることは明らかであろう。

問題はなぜ、このような政治権力による国民無視のやり方がまかり通るのか、という点である。もちろん後で述べるように、選挙制度の問題や、国民の政治的関心の低さがあることは言うまでもない。しかしここでは少し掘り下げて、この問題を議会制民主主義という制度自体の矛盾として考えてみたい。

リンカーンの言葉を借りるならば、「人民のための政治」が現実になされていない理由は、「人民による政治」がなされていない点にある。つまり政治が人民による直接的統治（自治）ではなく、一部の政治家の手に委ねられている、というところに問題の根源があると考えてよい。

その前提には、近代議会制民主主義においては、ギリシャ時代のポリスの市民参加型民主主義とは異なり、政治を一部の代表者に委ねざるを得ないという現実がある。その理由は、統治の単位が国民国家という大きな規模に拡大したところにある。

ところでこの問題の根源が憲法自体にあると言えば、少し驚かれる向きもあろう。しかしこれは事実である。現憲法の前文の書き出しには「日本国民は、正当に選挙された代表者を通じて行動し……」とあり、また「そもそも国政は、国民の厳粛な信託によるものであって、その権威は国民に由来し、その権力は国民の代表者がこれを行使し、その福利は国民がこれを享受する」とある。「権力は国民の代表者がこれを行使し」という一節からも分かるように、憲法は日本の民主主義が、代表者による間接民主主義（議会制民主主義）であるということを、前文冒頭で規定しているのである。もちろん問題は憲法にではなく、「国民の厳粛な信託」を真面目に果たそうとしない政治家・政党にある。だからその場合には政権を代えればよい、という反論もあるだろう。この意見はもちろん間違いではない。しかし歴史を振り返れば分かるように、政権が代われば問題が解決される、というほど簡単ではない。やはり間接民主主義自体に問題があると考えるべきであろう。

ところで、間接民主主義を規定した日本国憲法の問題点をいち早く見抜いた人物に、ジャーナリストの石橋湛山がいる。小日本主義を貫き軍部と対立した石橋は、戦後自民党の総裁・総理大臣となるが、戦後まもなくまだジャーナリストの時代に、憲法についての小論で以下のように書いている。「国家の経営者は国民だ……国民の義務規定に周密でない憲法は真に民主的とは言えない」(1)。これは権利保障を中心とする近代憲法の矛盾を突いた、優れた見解と見ることができる。石橋の言うように、国民が真に国の主人公たらんとすれば、政治を職業政治家に任せきるわけにはいかず、国民自らが政治にコミットすることが大事である。そのことが政治家の専断、暴走の抑止力となるからである。

ところで現実政治の矛盾を分析する場合、問題を二つの側面に分けて考える必要がある。一つは「選ばれる側の問題」であり、もう一つは「選ぶ側の問題」である。しかも両者は離れがたく結びついている。そこでまず取り上げるべきは、選ばれる側の問題である。

政治家の、政治家による、政治家のための政治

選ばれる側とは、もちろん憲法でいう「国民の代表者」、すなわち政治家ないし政党である。なお政党は組織の論理に支配されている点で独自の矛盾を抱えているが、ここでは両者を区別しない(2)。政治家が国民の意思から離れる第一の要因は、彼らは国民の代表者として民意を実現する立場にありながら、彼らに固有の論理に支配されているという点にある。固有の論理とは、具体的に言えば、選ばれた政治家は選良(エリート)として、政治権力を振るうことを自己目的化することである。

権力行使を自己目的化する動機は、名誉欲であり、権力欲である。国民の代表者として、国民のために奉仕するという純粋な動機よりも、自己の名誉や権力欲が上回る時から、政治家の変質が始まると言ってよい。しかもそれは偶然によってではない。

人間には三つの世俗的な欲望、すなわち金銭欲と名誉欲、それに権力欲があると言われるが、この三つの欲望をほぼ同時に満たすことができるのが、政治家という職業である。なかでも特段の注意が必要なのは、権力欲である。というのは、権力とは「人を支配する力」であるが、特に国家権力は国民を支配し、時には国民全体を不幸に陥れる場合があるからである。

ところが政治家を目指す人間には、権力欲に取りつかれた者が多い。心理学者の分析によれば、そのような人間は人を支配することに喜びを見出すという。政治家を目指す人間にこのタイプが多いことは、彼らの振る舞いを見れば分かるであろう。もちろん前号において、保守本流と自民党本流の違いとして、権力者としての自制感覚の有無を上げたように、政治家にも個人差がある。しかしそれは程度の問題というべきであろう。

この点で特に問題なのは、特定の偏った信念に取りつかれた政治家が仲間を集め、民意に反した政策を実行しようとする場合である。安倍政権とその周辺の勢力による改憲策動はその一例である。そもそも憲法改正の発議権が国会にあるとしても、政治家まして政権の座にあるものが改憲を主導することは、本末転倒である。これこそ「政治家の政治家による政治家のための政治」に他ならず、民主主義における主客転倒の典型例と言うことができる。

このような政治権力の本質と政治家の性格的特徴とを考え合わせるならば、われわれ市民は、政治家を一般人と同様の人間と見なすことはできない。この点と関わって、イギリスの哲学者D・ヒュームは、すでに一八世紀において次のように述べている。いかなる政治組織であれ、権力の抑制を考える場合には、「人間はすべて利に走りやすい無節操な悪人であり、そのすべての行動において私利以外の目的は全く持たぬと、推定されねばなりませぬ」(3)。

人間の本質が「善」であるか「悪」であるかは別にして、政治に関する限りヒュームの言うように、「方法論的性悪説」とも言うべき人間観が求められるのである。これはまた、法治主義と立憲主義の前提となる人間観と言ってもよいであろう。

無責任な国民?——選ぶ側の問題——

それでは政治家を選ぶわれわれの側に、問題はないのであろうか。すでに述べたように、両者は一体の関係として捉える必要がある。つまり代表制民主主義が歪むのは、政治家の責任だけでなく、選ぶ側の国民にも問題があるからなのである。

われわれの代表を選ぶということには、代表の行動に絶えず注意し、彼らが選良(エリート)に相応しく行動しているかどうかをチェックする責任が伴うはずである。政治家が前節で論じたような人格的特性を有しているとすれば、なおさらである。

しかし現実には、われわれは代表を選んだ後は選びっぱなしで、自らは経済活動や職業生活に追われ、政治への関わりを避ける傾向がある。それどころか、近年の国政選挙における低投票率に現れているように、選ぶ行為自体を放棄する国民が多い。これでは政治家のやりたい放題になるであろう。

ところでこのような個人のあり方を追認し、それを民主主義の前提とする政治理論（合理的選択論）がある。この理論によれば、人間は自己利益の最大化を目指して行動する「合理的存在」であり、個人はそのために選挙に際して、政党の政策と自らの票を交換する。この理論では、政治的行為は経済的行為と似たものとして捉えられるのである。

さらに時代をさかのぼれば、民主主義政治を政党間の競争として捉え、主権者たる国民の役割を、政治的エリートを選ぶことに限定する、経済学者Ｊ・シュンペーターのような考え方も存在する。彼によれば「民主主義の原理とは、競争を勝ち抜いて最大の支持を得た個人や集団に政権を委ねることを意味するにすぎない」(4)。

これらの議論は、近代的個人に対する偏った捉え方に基づいている。シュムペーターの議論の前提には、民衆の政治的判断力に対する悲観的評価がある。また合理的選択論が想定する個人は、人間の一面を捉えているに過ぎない。というのは、誰でも自己の利益や欲求の充足を追求するものであるが、その行為の結果が例えば環境破壊につながるとすれば、生態系や未来世代への影響を考慮して、その行為を止めることができる。すなわち人間は個人の利益追求だけでなく、社会的責任を自覚して行動する存在でもある。

この点からも分かるように、この種の人間観の最大の問題は、個人を他者と切り離された孤立した存在として捉えるところにある。ところが現実には、個人は家族をはじめ、コミュニティの一員でもあり、家族や社会また環境に対する責任を果たそうとする存在である。そして大事なことは、このような個人は、本来、公共への関心を常に抱き、時には政治への参加をいとわない存在であるという点である。

いずれにしろ議会制民主主義の機能不全を解決するには、個人が本来そなえている公共への関心を、まず確認することが出発点となるのである。

2　ポピュリズムは民主主義を回復するか?

ポピュリズムの評価──山本太郎氏と「れいわ新選組」──

ところで議会制民主主義の矛盾は、現代ではポピュリズムの台頭という形で現れている。ポピュリズムは日本語に訳せば、大衆迎合主義であり、あまり良い意味ではない。ところが政治学者にはこの傾向を評価する人物が多い(5)。その理由は、ポピュリズムが一部のエリートが主導する政治・経済体制に対する、「見捨てられた人々」の抗議の意味を持つからである。

ポピュリズムの台頭の背景には、グローバル化による議会制民主主義の空洞化がある。既存の体制が表向きは民主主義という看板を掲げていても、困窮している階層の利益を無視して政治を進めるならば、どこかで急進的な反発が起きても不思議ではない。言い換えれば、体制エリートの独走と民主主義の機能不全が、ポピュリズムを生み出したのである。

ところで日本にポピュリズムは存在するのであろうか。貧困と格差化が深刻化しつつある日本の現状を考えるならば、ポピュリズムの台頭があっても不思議ではない。これまでの政治家では、小泉元首相や橋下元大阪府知事がポピュリストと呼ばれる場合がある。確かに、過激な言葉で国民や府民に直接訴える点では、彼らはポピュリスト的ではある。

しかし彼らは（維新の会含め）既成の秩序は批判しても、それを主導するエリートの支配自体を批判することは無く、その意味で、本格的なポピュリストと見ることはできない。むしろ彼らは、新自由主義的改革を、ポピュリスト的手法でおこなう政治家と捉えるべきであろう。

日本において本格的なポピュリズムの台頭が見られない理由として、大量の移民やＥＵの地域統合に現れたような、民主主義の過度の空洞化の影響が無いということが考えられる。しかし欧米と同様に日本においても、民主主義体制の下で「見捨てられた人々」は拡大しつつある。特に九〇年代以降の非正規雇用者の急速な拡大は、若者・中年層を中心に深刻な将来不安をもたらしている。彼らがポピュリズムの担い手になることは十分あり得ることである。

その点で注目すべきは、二〇一九年の参議院選挙で一躍注目を浴びた、山本太郎氏が率いる「れいわ新選組」である。特に障がい者を、参議院議員として国会に送り込んだインパクトは大きい。彼は自らポピュリストを自認しているが、このようなやり方は既存の政党には考えつかないものである。見捨てられた層の意見を代表して、既存のエリートによる政治支配の打破を主張し、またインターネットを最大限活用している点などを見ると、れいわ新選組を左派系のポピュリズム政党と見てよいであろう。

安倍政権が長期化するなかで、れいわ新選組が「見捨てられた人々（日本では非正規雇用の労働者など）」の声を代表することにより、日本の民主主義にどれだけの変化をもたらすのか、特に政治への国民の関心を回復させることができるのかが注目される。

ポピュリズムと「排除と対立」の論理

何でもそうであるが、物事には二つの側面がある。その点はポピュリズムも同じである。ポピュリズムは議会制民主主義の機能不全に対する、「見捨てられた人々」の異議申し立てという積極的側面と同時に、特に右派ポピュリズムには排外的な性格があり、その点で民主主義にとって危険な面も持ち合わせているのである。それはトランプ大統領の自国中心主義的な、移民排除の政策に現れている。ポピュリズムの評価が難しいのは、この点にある。

排除と対立の論理は国家間だけでなく、国内政治においても現れている。トランプ大統領が同性愛婚に反対であることが示すように、自らと異なる価値観を排除するやり方がそのことを示している。このような大統領の存在が、アメリカにおけるヘイトクライム増大の要因になっているのである。

ところで安倍政権の場合はどうであろうか。この点と関わって、石破茂元自民党幹事長が『文藝春秋』二〇一九年八月号に、最近の自民党のあり方を問題視する論文を寄稿している。氏によれば、今回の参議院選挙の際に、すべての自民党議員に出所不明のパンフレット（「フェイク情報が蝕むニッポン　トンデモ野党とメディアの非常識」）が配られたが、その内容は野党と一部メディアを口汚くののしる一方で、安倍政権を礼賛するものである。

石破氏によれば、意見の異なるものへの敬意を欠く、このパンフレットと同じ排除の論理が、安倍一強の自民党内にも存在するという。それは内閣を自らに近い人物で固める彼のやり方を見れば分かる。

安倍首相の国会答弁などにおける攻撃的で、感情的な発言を見れば、この選挙用パンフレットは、彼の感性と一致するものと考えてよい。このことは、彼が悪しきポピュリストと共通する一面を有していることを示している。異なる意見を尊重する精神は、民主主義の最低の条件であり、それを欠く者に民主主義や憲法を語る資格はない。意見の異なるものを頭から排除することは、民主主義と憲法を否定することを意味するからである。

ところで排除と対立の論理は、差別や憎しみなど劣った感情と結びつきやすい。一般にポピュリズムには反知性主義的な特徴があるが、その背景には以下のような事情がある。議会制民主主義や官僚制（企業組織を含む）などは、近代社会の合理化の過程で成立した。それは機能的で不可欠な社会システムであるが、それを担うのは学歴の高い知的エリートたちである。

しかし彼らによる政治的、社会的支配が、大衆の利害を無視する時、大衆は彼らが主導する既成の体制に不満を抱くようになる。それが具体的な政治的テーマ、例えばグローバル化による地域統合などをきっかけに、知的エリートに対する反感として、また移民に対する排外的感情として一気に噴き出すのである。それを巧みに利用するのが、ポピュリスト政治家である。

しかし感情には排除や差別などネガティブなものだけではなく、ポジティブなものもある。例えば、山本太郎氏の演説を分析すると、彼を支配する感情が弱者への思いや、強者への怒りなどであることが分かる。

一般的に言って、隣人愛や連帯感、強者への正当な怒りなど、プラスの感情は人々を結びつけ、歴史を前進させる行動を生むのに対して、逆に、差別感情や憎しみなど、ネガティブな感情は排除と対立を生み出し、歴史を後退させる傾向がある。

もともと人間の行動を支配するのは感情である。フランス革命やロシア革命を実現させたのは、腐敗した体制に対する民衆の正当な怒りであった。正しい考えや思想も感情に裏付けられない限り、実行に移されることは無い。山本太郎氏の演説が多くの聴衆を集め、惹き付けたのは、彼の演説が聴衆の心を捉えたからである。

いくら正しいことを言っても、それが人々の心を揺さぶらなければ、政治的支持に結びつくことは無い。その点で野党や革新勢力には反省すべき点が多い。

終わりに――立憲主義と民主主義回復の展望――

さてこれまでさまざまな問題を論じてきたが、われわれに与えられた最終的課題は、際立った右翼的性格を特徴とし、そしてあわよくば、復古主義的自主憲法の実現に野望を抱く、安倍首相の早期退陣である。そのためにまず、立憲主義を回復すること、その前提として国民の政治への関心と関わり方を高め、民主主義を実質化させることが必要である。言い換えれば、国民が政治家によって操作されやすい受動的存在から、実質的な意味で、主権者的存在へと変わることが求められている。

かつて民主主義の思想家・ルソーは、人民が自由であるのは選挙の間だけであり、「議員が選ばれるやいなや、イギリス人はドレイとなり無に帰してしまう」として、イギリスの議会制を批判したが(6)、政治学者の福田歓一氏はルソーのこの言葉に関わって、「代表原理は、それ自体が民主主義的なものであるというふうに考えることはできない」と述べている(7)。議会制民主主義体制の下で、人民を主権者として取り戻すのは、簡単なことではないのである。

この課題を解決するには、問題を整理する必要がある。その点でまず上げるべきは、選挙制度の問題である。「選挙制度は民主主義の根幹である」という言葉があるが、それが民意を反映しない場合、選挙民の選挙に対する関心をそぐことになる。その点で死票を多く生む日本の小選挙区中心の選挙制度に、大きな問題があることは明らかである。

北欧の選挙制度はすべて比例代表であるが、投票率が高いことはよく知られている。また比例代表制は多様な民意を反映し、さらに熟議を促すという点で政治の安定に寄与するという側面もある。

この問題については補論で論じた。

しかし選挙がすべてではない。投票行動は人々の日常の行動の一部に過ぎないからである。日常の行動が管理され、社会への関わりが受け身的な場合には、「世の中を変えよう」という主体的意識は生まれにくい。しかも現在の日本人に特徴的な、このような意識を変えていくことは容易ではない。それは企業中心の日本人の働き方の問題とも、結びついているからである。

さらに日本の市民社会の場合、地域コミュニティなど国家と個人をつなぐ中間団体が希薄である、という事実がこれに加わる。このような現実が人々を孤立させ、特に貧困層や引きこもりなどの社会的弱者の救済と自立を困難にし、彼らを追い詰めているのである。

しかし一方で、このような現実を改善すべく、各種のNPOなど市民社会組織が結成され、拡大しているのも事実である。すでに子ども食堂は全国で三千近い数に上り、地域における人間的つながりを回復すべく活動を続けている。またこれまで、原発事故をきっかけとする反原発の市民運動や環境保護の活動をはじめ、各種の社会運動が展開されてきた。これらの運動が政治への関心を引き出すことは言うまでもない。

そして政治的レベルでは、集団安保法制に反対する市民運動が、野党共闘の仲介役となり、国政選挙においても大きな役割を果たしている。これは戦後の民主主義の歴史においても、特筆すべき出来事と言うことができる。というのは市民が単なる政治の受益者ではなく、主権者として政治の舞台に登場しつつあるからであり、すでに論じた間接民主主義の矛盾を解決する方向性を示しているからである。

また本章では多くを語れないが、第７章で述べるように安倍政権による教育支配や根強い管理教育に対して、生徒を学校運営の実質的主人公に育てるための主権者教育の役割も大きい。ヨーロッパにおける例を見ても分かるように、子どものころからの参加の経験が公共心を高め、その後の政治への関わり方を決めるからである(8)。

学校や市民社会における諸活動を通して、政治の舞台における市民の参加度を高めていくこと、このような地道な活動を積み上げていく以外に、市民の政治に対する受け身的姿勢を変え、立憲主義の破壊に対抗する主権者を育てる道はないのである。

最後になるが、このような運動は個人が本来有する公共的関心に基づくものであること、また隣人愛や連帯感、強者のおごりに対する怒りなど、ポジティブな感情を育てるものであることを確認しておきたい。

【注】

（１）「憲法改正草案を評す」石橋湛山全集一三巻（東洋経済新報社）。
（２）政党を含む組織固有の矛盾については、拙著『成熟社会における組織と人間』（花伝社、二〇一五年）を参考にしていただけると有難い。
（３）D・ヒューム『市民の国（下）』（岩波文庫）四三頁。
（４）J・シュンペーター『民主主義、資本主義、社会主義』二二章（日経BP社）八七頁。
（５）例えば、吉田徹『ポピュリズムを考える』（NHKブックス、二〇一一年）、水島治郎『ポピュリズムとは何か』（中公新書、二〇一六年）など。
（6）ルソー『社会契約論』（岩波文庫）一三三頁。
（7）福田歓一『近代民主主義とその展望』（岩波新書、一九七七年）一三七頁。
（8）スウェーデンの高い投票率の背景には、学校選挙などによる主権者教育の実践がある。この点については、石田徹・高橋進・渡辺博明『「18歳選挙権」時代のシティズンシップ教育』（法律文化社、二〇一九年）が参考になる。

補論　選挙制度と熟議民主主義

本論では、政治家の暴走を生む間接民主主義に対して、参加民主主義の重要性を説いた。ところで参加の要因が、議会制民主主義自体の内に隠されていることについても指摘しておかねばならない。それは選挙制度のあり方である。「民主主義の根幹」と呼ばれる選挙制度には、参加と熟議を促すものとそうでないものがある。前者は小選挙区制であり、後者は比例代表制である。

日本のような小選挙区中心の選挙制度が死票を多く生み出し、民意の反映の点で難があることはよく知られているが、同時にそれが政治のあり方を歪め、国民の政治参加を遠ざけていることも見逃せない。というのは、小選挙区制度は二大政党制に誘導する選挙制度であり、そのためこの制度の下では多党制の成立が阻まれ、その結果、市民社会における多様な価値が政治に反映しにくくなるからである。

さらに二大政党間での権力争いが必要以上に激しくなり、政策よりも事実にもとづかない宣伝や、相手を貶めるスキャンダルの暴露合戦などが選挙戦の話題になりやすい。これが相互尊重に基づく熟議の精神に反することは言うまでもない。いたずらに対決型政治へと導く小選挙区制度の下では、選挙民の多様な意見を反映し、それを熟議によって調整することは難しい。その結果、国民の多くが受け入れることができる政治的決定が難しくなる。この点は国全体で一人の支配者を選ぶ大統領制について、もっともよく当てはまるであろう。

小選挙区制はその意味で、間接民主主義の弊害がもっとも強く現われる選挙制度なのである。一方、比例代表型の選挙制度では、多様な民意が多数の政党によって反映されるため、単独で過半数を得ることが難しく、政権を担うには、異なる政党間で政策の議論と調整が必要になる。このようにして熟議型民主主義の文化が、選挙制度を通して形成されるのである。ただそのためには、国民の間に極端なイデオロギー的な対立や、生活水準の圧倒的な格差が存在しないことが条件となる。

なお付け加えて言えば、比例代表制の下では小選挙区制の下で強いられる、選挙目的のための野党共闘の必要性がなくなることになる。というのは、選挙後に各政党の得票率を踏まえた政策協議により、連立政権の成立が可能となるからである。

そして何よりも重要なのは、比例代表制では、重要な政治参加である選挙への国民の関心が高くなるという事実である。このことは投票率が低い小選挙区中心の日本（五〇％以下）と、比例代表制を採用している北欧の諸国との投票率（八〇％以上）の歴然たる差が示している。

なお熟議民主主義の限界についても触れておかねばならない。それは参加の資格が、国民国家の成員（国籍を有する国民）に限定されるという点である。熟議型民主主義は利害や価値観の調整を真摯に追求する点で、民主主義の政治的利用、例えば政治的権力獲得のために議会を手段として利用するといった、かつての社会主義の政治戦略を排除するが、同時に、それは国民統合のための政治的装置ともなる。したがって、熟議を意義あるものにするには、参加を国際社会に開かれたものにする努力が常に求められることになる。

第４章　立憲主義だけで闘えるのか――近代個人主義と民主主義の限界を問う――

はじめに

安倍長期政権の下で憲法を蹂躙する政治が続いている。彼らの当面の目標は九条改憲であるが、その背後には、日本型ナショナリズムとも呼ぶべき復古主義の思想がある。それを具体化したのが、自民党の憲法改正草案（二〇一二年）である。本稿では、まず九条改憲と自民党改憲草案に現れた復古主義とが不可分であるという認識から、それと闘う対抗軸である立憲主義の有効性を問うこととする。というのは、立憲主義の前提にある個人主義や人権概念は、その抽象的、「排他的」性格のために、対抗軸としては固有の弱点を抱えているからである。したがって、復古主義的改憲と有効に闘うためには、個人概念の再定義をはじめ立憲主義の弱点を補う新たな戦略が求められる。その戦略の基本的な性格を提起することが、本稿の最終的課題である。

1　安倍政権の性格──九条改憲と復古主義──

立憲主義は現在の日本の政治を語る上で、欠かすことのできないキーワードとなっている。言うまでもなく、安倍政権の下で集団的自衛権を容認する安保法制の制定（二〇一五年）や共謀罪の新設（二〇一七年）など、憲法を無視する強権政治が続いているからである。この傾向は政治家・安倍晋三個人というよりは、現在の自民党の体質自体から来ていると思われる（中北浩爾『自民党政治の変容』ＮＨＫブックス）。その背景に近年の自民党の右傾化があることは間違いないが、問題は右傾化の内実である。この点を明らかにしない限り、自民党政治に有効に対決する戦略と運動を構築することはできない。

右傾化と憲法無視は安保法制や軍拡路線など、防衛政策において顕著であるが、彼らがその理由として上げるのが、東アジア情勢の緊迫化など防衛上の「要請」である。すなわち憲法制定後七〇年以上が経過し、九条の平和主義と安全保障の現実とが合わなくなったこと、そして当面改憲が困難なため、憲法解釈を変えるという言い分である。これが立憲主義否定の現実主義的立場からの「根拠」である。安倍政治のなかに、現実主義的な側面があることは否定できないが、重視すべきは、その背後にある以下に述べるような「政治理念」である。

その「政治理念」とは、復古主義とも呼ぶべき思想である。この点は彼の著書（『美しい国へ』文春新書）や「日本を取り戻す」「美しい日本」といった空虚な自民党のキャッチ・コピー、具体的には教育勅語の容認、道徳教育の重視（教科化）などに現れている。このような政策は、価値観の多様化した現代の日本社会に対する彼らの違和感と、戦前型社会に対する郷愁の現れであり、現在の自民党が、民族主義的右翼団体である日本会議と価値観を共有していることを示している。しかも重要なのは、復古主義が日本の戦争犯罪を免罪する歴史修正主義と一体化している、という事実である。従来型自民党政治（保守本流）からも区別されるべき、右傾化の内実がこの点にある。

この復古主義がより体系化された形で現れているのが、二〇一二年の自民党憲法草案である。この草案は二〇〇五年のそれとは大きく異なり、自民党の右翼的体質が表に出たものとして注目される。大事なのは、この草案は自衛隊の明文化を目論む現実主義的な九条改憲案とは、一見異質のように見えながら、その根底において九条改憲と密接に関連しているという点である。つまり安保法制と九条改憲はアメリカとの「対等な」軍事行動を当面企図しているが、同時に日本の軍事大国化を狙う点で、復古主義的「政治理念」の実現に向けた一里塚と見るべきなのである。

関連して付け加えるならば、中野晃一氏らが言うように（『右傾化する日本政治』岩波新書）、復古イデオロギーを中核とする日本型ナショナリズムが、次のステージとして対米追随路線から反米主義に転化する危険性についても、頭に入れておく必要があるだろう。歴史修正主義と一体化した復古主義は、そのことによってはじめて首尾一貫したイデオロギーたりえるからである。もちろん政治に対する現実の要請とわれわれの対抗運動、そして日本経済の地盤沈下などにより、そのベクトルは変わるであろうが、日本の将来のあり方を決める重要な要因であることは間違いないであろう。

2　立憲主義の意義と限界

立憲主義と個人主義

最初に述べたように、本稿の問題意識は「立憲主義だけで復古派の政治と闘うことができるのか」というところにあるが、この問いの答えを見出すためには、まず立憲主義の性格とその限界を知る必要がある。この点を明らかにせずに、すなわち自らの弱点を知らずしては、敵と有効に闘うことはできないからである。

その前にまず、近代立憲主義の意義について再確認しておこう。立憲主義は法治主義や権力の分立と並ぶ近代政治の基本原則であり、国家権力の行使を憲法によって制約するのがその主旨である。その大前提にあるのは、近代的個人の尊厳と自由・権利の擁護であり、この点は日本国憲法の基本原理でもある。「個人の尊厳」（憲法一三条）や「人権の不可侵性」（一一条）、また「政教分離の原則（国家の道徳的中立性）」（憲法二〇条）、それに権力者の憲法順守義務（九九条）などは、個人の自由・権利擁護のための規定なのであり、したがって立憲主義は、個人主義思想と一体のものと言うことができる。

ところでなぜわれわれは、国家権力の行使を制限する必要があるのだろうか。それは、権力は自らの存在を拡大、強化しようとする固有の論理を有しており、そのために人々の自由を制限し、国民全体を管理、支配しようとするからである。この点は民主主義的な権力といえども同じである。民主主義の原理が多数決である以上、異論を抱く少数派や個人は、権力行使の障害となるからである。したがって権力の交代が制度化されていない政治体制は、個人の自由・権利にとって最大の脅威となる。

権力自体が内包するこの性格は、権力者がどのような階級・階層を代表しているのか、また権力者がどのような人間であるのかという問題とは関係がない。付け加えて言えば、この問題意識は無政府主義者には共有されていたが、マルクスには欠けていた。かつての社会主義国家の失敗は、このような権力の独自の論理とその結末を示している。

近代個人主義の抽象的性格

立憲主義が近代の重要な政治原則であるとしても、われわれが問うべきは、果たしてそれが権力に対抗する有効な運動原理たりえるのかという点である。この点を問題とする理由は、立憲主義が前提とする、近代的個人とその自由の性格にある。というのは近代個人主義が想定する個人は、前近代的「個人」とは異なり自律的主体ではあるが、その抽象性ゆえに行動の動機を欠いた無内容な存在だからである。しかし人間は生まれつき性的、人種的属性などを刻印された存在であり、そして家族をはじめ一定の社会的諸関係のなかで形成される、具体的存在に他ならない。このような具体的諸関係から切り離された人間は、想像の産物と言う以外ない。現代リベラリズムの旗手、J・ロールズの想定する個人を、現実社会に位置づけられていない存在（負荷なき自己）として批判したコミュニタリアンのM・サンデルの議論は、このような近代的個人の抽象性を衝くものであった。

抽象的個人は、運動の主体となることはできない。いかなる活動も、例えば労働運動の担い手が労働者としての属性を有する個人であるように、具体的利害関係を有する個人を担い手としているからである。ところが立憲主義が前提とする近代的個人は、具体的属性を欠いているがゆえに運動の動機を欠いているのである。加えて憲法が保障する権利は、個人抑圧的な共同体からの「離脱の切り札」であるため、もともと連帯志向的ではなく、むしろ自己防衛的で他者排除的な性格を有している。西欧における排外的ポピュリズムが個人主義の立場から、政教一致（個人の自由の否定）のイスラム世界を排除するところに、近代個人主義の特徴がよく現れている。

国民国家と立憲主義——立憲主義は人間の本性に反する？——

さらに個人主義と立憲主義にとって不利な事情を上げなければならない。それは現実の個人は職場や家族、地域社会など市民社会的諸関係に組み込まれた具体的存在であるだけでなく、同時に特定の国家の一員すなわち「国民」でもあるという事実である。しかも現代の国家はかつての国家（夜警国家）とは異なり、高度に社会化された存在（福祉国家）である。このような国家によって統合された国民としての個人が、国家と対立する自律的主体であり続けることは容易ではない。

このことは近代市民が実は「国民」に他ならなかったこと、また近代市民社会が「国民社会」に他ならなかったことを教えている。一定の文化によって統合された国民は、多様性を嫌う傾向があるが、この事実は個人主義の基盤を脆弱にする。憲法学者の長谷部恭男氏は、人間は自己の意見を絶対化し、それを他者に押し付けようとする傾向を持つという点で、「立憲主義は人間の本性に反する」（『憲法とは何か』岩波新書）と述べているが、文化的に統合された国民は、異質なものに対して不寛容なのである。欧米先進国における排外主義的ポピュリズムの台頭は、近代個人主義の限界だけでなく、国家的統合力の強さを改めて教えるものである。

さらに個人主義の評価を下げる要因として、個人主義に付きまとう以下のような負の属性を上げておかねばならない。近代的個人は自由と権利の主体であるが、同時に経済合理的な存在として自己の効用の極大化を追求する利己的主体でもあり、そのような性格が、他者や社会との関係でさまざまな摩擦と対立を招くことになる。権利を金で置き換える拝金主義は、個人主義の市場化された形態と見ることができる。憲法（一三条）における権利の濫用禁止規定は、個人主義のこのような傾向を想定してのことであろう。

社会的責任を放棄し自己利益のみを追求する、このような個人主義の負の属性は、日本では公教育による、国民の道徳的教化を合理化する誘因となりかねない。そして道徳的教化の政治的根拠を提供するのが、天皇を中心とした日本の国のあるべき姿（国柄）を規定し、国民の権利よりも義務を重視する自民党の憲法草案なのである。

3　復古主義への対抗戦略

ナショナル・アイデンティティと個人主義の再構築

個人主義の弱点を知った今、われわれはどのような戦略によって復古主義的改憲動向と闘うべきなのであろうか。まず強調すべきは、復古主義であるか否かを問わず、特定の政権に道徳を語らせないことである。まして特定の道徳を憲法に書き込むことは、立憲主義の精神を憲法自らが否定することであり、近代国家の自殺行為を意味する。

しかしそのことは、公共の場で道徳を語ることを禁ずるものではない。むしろわれわれは近代個人主義と立憲主義を護るために、大いに道徳を語るべきなのである。その理由は、サンデルが言うように、リベラリズムが道徳を個人の問題に局限することが、道徳的空白に付け込む形で質の悪い道徳、すなわち全体主義的、排外主義的道徳を公共空間へ招き入れるからである。特にグローバリズムの進行は、ナショナル・アイデンティティの希薄化による道徳の空白を拡大するだけに、この点は強調されねばならない。

そこでわれわれが向き合うべき課題は、近代個人主義の弱点と矛盾を克服し、新たな時代にふさわしい公共的道徳を積極的に語ることである。そのことは逆に、個人主義とリベラリズムの基盤をより強固にすることでもある。というのは、道徳を語ることを通して抽象的個人が現実の世界に接合されるからであり、また具体的な道徳的判断を通して、個人の自律性に内実が与えられるからである。そのような観点からわれわれが論じるべきは、以下の三点である。

（１）個人主義と個人概念を再構築すること

（２）道徳を個人の自由の問題に局限するのではなく、復古主義的道徳と対決する公共道徳（国民道徳）を語ること

（３）さらに立憲主義のために闘うことのできる、個人像を追求すること

以上の三点は相互に密接に関連しているが、まず取り組むべきは（１）の課題である。われわれは、個人を社会的諸関係における具体的存在として、さらに日本国民として捉え直さなければならない。それは同時に個人を、自国の歴史や環境に対して責任を負う道徳的存在として捉えることでもある。逆に歴史から切り離された個人は、国家が犯した戦争犯罪に対して無関心であろうし、また原発が人類の将来に対して与える危険性についても無関心であろう。このような無責任な人間像こそ、経済的利益の追求（税逃れ）のために無国籍化した富裕層や、グローバル企業に相応しい人間像なのである。したがって現代においてナショナル・アイデンティティを語ることは、彼らに対抗する倫理的意味合いを有している（佐伯啓思『倫理としてのナショナリズム』ＮＴＴ出版）。

ところで戦後の日本の革新運動や市民運動においては、個人を国民として捉える視点は弱かった。その主な理由は、階級的普遍主義を特徴とする社会主義勢力によって運動が担われた事実にある。しかし国境を超えた社会主義体制を展望できない現状においては、国民的立場と責任を明確にしない政治運動は、国民の幅広い支持を得ることはできない。もちろん国民政党化は体制内化を意

味しており、そのことが新たな問題を招くことになるが、その道を避けて通ることはできない。すでに日本の共産党は階級政党であると同時に、国民政党であることを宣言しているが（規約第二条）、天皇制や防衛、福祉問題など政策レベルで具体化されることによって、はじめて真の国民政党と見なすことができるであろう。

リベラルな自民族中心主義と愛国心

さて、ナショナル・アイデンティティや国民の道徳を論じることは、自民族中心主義に身を委ねることにならないのか、という懸念がここで起きるかもしれない。すでに述べたように、近代国民国家による国民統合力は強く、国民は異質なもの（特に前近代的思想や文化）に対して不寛容だからである。この点はかつてM・ウォルツァーのようなリベラル左派の知識人でさえ、九・一一のテロ事件後のアフガニスタンへの攻撃を支持した事実が示している。したがってわれわれに与えられた課題は、個人主義の自己防衛的で排他的性格を乗り越え、国際協調的な個人をいかに展望するかである。

この点についてはすでに論じたことがあるが（拙著『グローバル・ガバナンスの時代へ』大月書店）、問題をいくつかのレベルに分ける必要がある。まず取り上げるべきは、国家に関わる問題である。この点ではすでに述べたように、特定の政権に道徳を語らせないこと、特に排外主義と結びつきやすい愛国心を語らせないことが重要である。権力者は自然な愛国心を、特定の国家形態や政権への忠誠にすり替えようとするからである。その悲劇的結末は、戦前日本の歴史が教えている。

しかし難しいのは、愛国心の排外的性格が国家権力や支配階級の作為によるだけではない、という点にある。すなわち国民は国家に対して単なる受け身的統合の対象であるにとどまらず、積極的にナショナリズムの担い手ともなるからである。この点を問題にしたのがＡ・Ｄ・スミスであった（『ネイションとエスニシティ』名古屋大学出版会）。彼は国家を「想像の共同体」（特殊な文化的人工物）とするＢ・アンダーソンの国民国家論を批判し、多くのネイションやナショナリズムはそれ以前から存在していた、エスニックな共同体すなわち共通の祖先・歴史・文化と連帯感で結ばれた共同体と、それが産み出す自民族中心主義を基礎として成立しており、それ抜きには近代国民国家の成立は困難であったとする。現在の日本人の嫌韓や嫌中の意識を見る時、われわれはスミスの議論にリアリティを感じないわけにはいかない。

４　立憲主義と新たな政治主体

そこでわれわれに課せられた課題は、いかにして近代国民国家の自民族中心的な性格を相対化し、近代的個人とリベラリズムの自己防衛的、排他的性格を薄めていくかである。その手掛かりは、異質なものへの対応にある。異質なものへの嫌悪と排除は感情的なものであり、イスラムの不寛容性についての理解も基本的に偏見に基づくものである。ところで大事なのは、偏見や思い込みによる感情は実践を通して修正されていくという点である。したがって異質な他者との実践的交流を通して、このような変化が起きれば、リベラリズムの排他的性格は希薄になるであろう。逆に実践的交流を志向しない自己防衛的リベラリズムの寛容は、いかに共生や多文化主義を説いたとしても、状況によって容易に不寛容に転化する。したがって重要なことは、リベラリズムと個人主義を異質な他者との関係性に開かれたものへと変えていくことである。グローバル化の現代は、そのような機会に満ちている。

他者との関係性を重視する新たな個人はもはや抽象的個人ではなく、普遍的（類的）個人と言えるであろう。人々との対話・交流は、人々を類的存在へと高めるからである。このことは個人の政治や権力に対する態度に変化をもたらすことになる。異質な他者や権力に対して、必要以上に防御的になる必要が無いからである。さらにこのような個人は、政治と民主主義の質に変化をもたらすことにより、立憲主義擁護の主体となるであろう。

この点を考察する前に、現代民主主義の実態を振り返っておこう。先進国における議会制民主主義は、功利的個人としての選挙民が自己利益とその極大化を他者（政党・政治家）に委任するシステムとして特徴づけることができる。そしてこのような形態の民主主義の下では、民主主義の構成員としての国民は、観客民主主義という言葉が示すように、政治に対して傍観者的になる。政治への積極的コミットは、個人の自由にさまざまな制約をもたらすからである。これは防御的民主主義とも呼べる形態であるが、この種の民主主義が民意を反映しない選挙制度と、低投票率の下での「多数派」の横暴、すなわち政治の私物化と立憲主義の否定を許すことになる。

立憲主義の危機を招いた要因が、民主主義と個人のこのようなあり方であるとするならば、立憲主義を取り戻すには、この現状を変える以外にない。すなわちわれわれは、民主主義を「多数派」の名による政治家・政党が支配する体制から、意見や価値観の違う者同士の熟議を重視し、粘り強く合意を形成する形態へと変えていく必要がある。他者との関係性を重視する新たな個人は、このような民主主義の主体となることにより、立憲主義を実質化する存在となりうるのである。

これがわれわれに課された(3)の課題への当面の答えである。かつてC・B・マクファーソンは、均衡的民主主義（利益調整型民主主義）に参加民主主義を対置し、後者は人々の潜在能力の開発と行使を志向し、共同社会意識を生み出すであろうと述べたが（『自由民主主義は生き残れるか』岩波新書）、このような社会意識に富んだ個人こそ、立憲主義を真に擁護しえる個人なのである。実は憲法で問題となる「権利の主体としての個人」と、「主権者の一人としての個人」とは同一の存在なのであり、これまでの議論はこの同一性をいかに現代において回復するのか、という課題の考察でもあった。この問題の追究は、立憲主義に対する新たなる角度からの考察をわれわれに求めることになるが、この問題は別の機会に改めて論じたい。

第5章　自民党改憲草案の論理と真の愛国心

はじめに

戦後七五年が経過しようとしているが、中国の台頭、アメリカの覇権の後退など世界情勢は流動化のただなかにあると言ってよい。同時に日本の置かれた政治的環境も予断を許さない状態にある。特に自民党安倍政権の長期化の下で、集団的自衛権の行使容認など、憲法の平和主義が踏みにじられていることは深刻である。それに止まらず、自主憲法の制定の党是に従い、自民党は復古主義的で人権否定の反近代的な改憲草案を準備し、日本の社会を根底から変えようとしている。

もちろん日本の市民社会がこれを簡単に受け入れることはないであろう。憲法原理は戦後の日本社会に定着しつつあるからである。ただ現在、憲法の平和主義だけでなく、近代的人権概念や民主主義のあり方が問われる、厳しい持代に差し掛かっているという事実は変わりない。

本稿では、このような情勢認識から、わたしなりにこれまでの持論を整理し、今後の改憲の動向を見据えた権利論や民主主義論、国家論を論じ、さらに改憲の動向に対抗する戦略を提案したいと思う。はじめに取り上げるのは国家や愛国心の問題についてである。憲法を語る際には、平和の前提となる国家や愛国心を論じることが不可欠だからである。

1　グローバル化と国民国家

二〇〇〇年代に上梓した数冊の著書において、わたしはグローバル化が人権の実現にとって積極的な意義を持つという立場から、これを前向きに受け止める議論を展開してきた(1)。たとえば、『格差社会から成熟社会へ』（大月書店、二〇〇七年）では、以下のように述べた。「……日本の社会的矛盾の本質的解決を、国民国家的秩序の再興に求めることはできない。なぜなら、国民国家の揺らぎは歴史の趨勢であり、国家を超える新しい国際秩序成立の前提条件だからである。国内的諸矛盾の悲劇を緩和するための国家の再分配政策は、……中期的には重要であるとしても、それ以上に求められるのは、国家を超えた労働条件のルールづくりであり、また資本を規制する国際的な枠組みをつくることであろう」(2)。

このような主張の前提には、人権の実現など新しい国際秩序の形成にとって、国民国家的制約が最大の障害であること、グローバル化はその原因である国民国家的枠組みを揺るがす、という認識があった。さらにその底には、グローバル化を進めている要因は経済統合にあり、歴史は最終的に経済的土台が決定する、という史的唯物論にもとづくマクロ的歴史認識が存在した。

しかし、アジアの新しい秩序の形成が容易ではない現状では、国際的なルールづくりもさることながら、むしろ良質の国民国家的秩序を維持することが、より重視されねばならない。具体的には、第一に、国家の弱者保護機能を維持すること、第二に、そのために富の再分配機能と社会保障制度を維持すること、第三に、その精神的基盤となる国民的連帯感を育てること、などである。第三の点は、第一、第二の機能の精神的条件でもある。なぜこのような国民的精神が必要かと言えば、社会保障制度（たとえば年金の賦課方式を考えよ）は、この国の一員としての世代を超えた、国民的な支え合いの精神によって成り立っており、このような国民連帯の精神の弱化は、社会保障制度の空洞化につながるからである。

その意味で国民国家は、ある種の共同体としての要件を備えていると考えねばならない。もちろん国家の階級的性格は否定できないし、また近代国民国家の虚構性を強調する議論が、国家の一面を捉えていることも否定できない(3)。しかし福祉国家化した現代社会国家が、共同体的性格を担っていることも厳然たる事実なのである。ところで現代国家の共同体的性格は、かつてルソーが論じたような自然的基礎に基づくものではない。現代国家は地理的、郷土的意味とは異なる、「人為的共同体」あるいは「意識的共同体」としての性格を有しているからである。

現代国家のこのような性格と国家の階級的性格とを、どのように整合的に理解すればよいのであろうか。この点で参考になるのは、国家に関するマルクス主義の理解である。エンゲルスは国家の階級抑圧的機能（階級的側面）に歴史的に先行する、あるいはその基底に存在する、社会的共同業務の処理機能（公共的側面）を見出した[4]。この両側面のいずれが主要な特徴として現象するかは、その時どきの階級的力関係や国内外の諸条件に依存的であるが、階級支配的側面を廃棄（社会主義化）できる状況にないことを考えるならば、国家の階級的性格を抑制し、後者の機能を強化する以外ないであろう。

このような立場において問題となるのは、国民連帯の精神や自然な愛国心を、偏狭なナショナリズムから切り離し、他国民との連帯につながる開かれた愛国心に接続することである。この点については次節で述べることとして、ここでは両者の関係を理解するために、アメリカにおける愛国心とコスモポリタニズムに関する議論を紹介しておこう。

左派のコミュニタリアン、Ｍ・ウォルツァーは、「私の忠誠は私の人間関係と同じように、中心から始まる」[5]とした上で、ファシズム（倒錯したナショナリズム）とレーニン主義（階級普遍主義）を例に上げ、「より幅広い忠誠を排除する特殊主義は非道徳的なふるまいを招くが、より狭い忠誠を拒否するコスモポリタニズムもまたそうである。両方とも危険なのだ」と述べている[6]。また多文化主義者のＣ・テイラーは「われわれはコスモポリタンであると同時に愛国者である以外に選択の余地はないということである。そのことは、普遍的な連帯に開かれているような種類の愛国主義のために、そうでない、より閉鎖的な種類の愛国主義に対して戦う、ということを意味している」と説いている[7]。

2　愛国主義とリベラルな近代国家

重要なのは、テイラーの問題意識に従い「開かれた愛国心」と「閉鎖的な愛国主義」とを区別し、前者が普遍的な連帯へと接続する道筋を明確にすることである。この課題は良質の国民国家を支持するわれわれにとって、きわめて重要である。なぜなら、仮に近代国民国家への帰属心が本質的に閉鎖的な愛国心しか育てないとするならば、良質な国民国家維持の根拠が失われるからである。

しかしこれは決して困難な課題ではない。なぜなら近い人々への愛着は、遠い人々への愛着と矛盾するものではないからである。われわれ日本人は、東日本大震災のような災害が起これば、他国民に対する以上の支援を惜しまない。これは他人の子どもよりも自分の子どもを可愛く思うのと同じ、人間の自然な感性に基づいた傾向である。同時に、このような自然な感性は、見知らぬ他国の人々が蒙る悲劇に対する同情や支援へとつながっている。自分の子どもを愛するがゆえに、他人の子どもを大事にできるように、自国民を大切にするがゆえに他国の人々を尊重することができるのであり、その意味で愛国主義とコスモポリタニズムとは、決して矛盾するものではなく、むしろ両者は接続する関係にある。

このような人々の自然の傾向を阻害し、ナショナリズムの衝突（現在の領土問題など）をもたらすのは、偏狭な「国益」と、それを利用した支配者の自己利益の追求である。このような支配者の狙いを許さず、国民間の連帯をまもるのが憲法の平和主義であり、相互信頼に依拠した互恵的普遍主義の精神である。因みにこの精神は、憲法前文の末尾で以下のように規定されている。「われらは、いづれの国家も、自国のことのみに専念して他国を無視してはならないのであって、政治道徳の法則は、普遍的なものであり、この法則に従うことは、自国の主権を維持し、他国と対等関係に立とうとする各国の責務であると信ずる」。

　ところで国家への国民の帰属意識は、その国の人権や民主主義のあり方に深く影響される。「専制国家に愛国者は一人しかいない」と言われるが、自由を抑圧する専制国家に愛着を抱く国民はいない。その意味で、健全な愛国心は一定の国家像を想定する。すなわち人々が国家に対して自然な帰属心を抱くのは、国家が個人の生命や人格、自由を保障し（人権保障）、国民の意思が政治に反映する（民主主義）場合であろう。このような国家が、人権と民主主義が保障された近代国家であることは論を待たない。したがって近代国家は、開かれた愛国心のミニマムの条件なのである。

　戦前の天皇制国家は、抑圧的な統治システムとイデオロギー支配によって、強引な国民統合を成し遂げ、国民を戦争に動員する体制を作り上げた。しかしこのようにして形成された愛国心は自然な感情ではなく、いわばイデオロギー的に注入された擬似的愛国心に他ならなかった。そのことは敗戦によって「忠君愛国の国民精神」が、短期間のうちに、新しい憲法の精神に取って代わられた事実が証明している。この歴史的教訓がわれわれに教えるのは、開かれた自由な愛国心は、特定の価値を国民に強要する権威的国家（現在では、イスラムの宗教国家や中国のような「社会主義国家」）では育たず、価値中立的でリベラルな近代国家においてのみ形成されるという点である。この点は、以下に見る自民党の改憲草案の本質を理解する上で、非常に重要である。

3 自民党改憲草案と「種」の論理

「はじめに」で述べたように、安倍政権の長期化と今後予想される自民党による改憲の企図は、このような価値中立性を本質とする近代国家の基本性格を危うくすること、またそのことを通して、偏狭なナショナリズムを育てることに注意しなければならない。この点は第1章でも論じたが、自民党の改憲草案（二〇一二年四月二七日確定）の要点を見ることにより、改めてこの点を具体的に論じることとする。改憲は全体にわたるが、問題となるポイントは、①天皇の元首化、②「公益」あるいは「公の秩序」の名による、人権や結社の制約、③家族規定の創設、④国家主権の強化などである。加えて憲法九条の改定、集団的自衛権の容認、自衛隊の国防軍への名称変更など、憲法の平和主義の否定が加わる。なおここでは平和主義にかかわる問題は、行論の関係で取り上げない。

近代国家の基本性格に関わって、まず問題にすべきは、以下に示す前文である。「日本国は、長い歴史と固有の文化を持ち、国民統合の象徴である天皇を戴く国家であって…」（冒頭部分）、「日本国民は、良き伝統と我々の国家を末永く子孫に継承するため、ここに、この憲法を制定する」（末尾部分）。この文言には、近代憲法の前提を覆す、危険な内容が含まれている。というのは、現憲法が日本や日本人に関わる具体的規定を欠いていることは周知のとおりであるが、それは近代国家や近代的個人の普遍的性格から来ている。この点はアメリカやフランス、ドイツの憲法、特にその前文を見れば分かることである。

逆に、憲法に「国家の伝統や歴史性」を盛り込むことは、人権や民主主義の普遍性を否定する道を準備する。というのは、国家を歴史的共同体と考えることは、歴史的に形成された文化や価値を前提とすることを意味するが、そのような価値を憲法の前提とすることは、やがて個人の自由、人権を制約することになるからである。価値前提国家が、その価値を受け入れない個人や少数派（外国人を含む）に抑圧的になることは、明らかであろう。

また歴史的共同体としての国家を理解することは、国家を民族共同体として捉えることを意味する。かつて京都学派の哲学者、田辺元は、「個」（個人）と「類」（人類）をつなぐ「種」（民族）の論理を展開したが、このように種を過大に評価する発想が、結果的に戦前の超国家主義を合理化したことを思い出さねばならない[8]。もちろん現実の国家が、単なる契約によって形成されたわけでないことは、すでに社会契約論の批判者、Ｄ・ヒュームが指摘したところである。しかし、個人の自律性を担保するには、国家をそのような存在としてあえて理解することが必要なのである。

ところで歴史的共同体を象徴するのが、天皇であることを考えるならば、種の論理の中核に位置するのが、天皇制であることは言うまでもない。もともと天皇制は「近代国家日本」の歴史的残滓であるが、天皇の元首化は、日本社会の権威主義的傾向をさらに押し進めることになるであろう。

4　倒錯した憲法観

自民党改憲草案が想定する、日本民族の価値の中心は「和の精神」である。草案の前文には以下のような、聖徳太子の十七条憲法（一条：和をもって貴しとする）を髣髴させるような一文がある。「日本国民は…和を尊び、家族や社会全体が互いに助け合って国家を形成する」。このような国民文化の勝手な規定が、近代国家の道徳的中立性の原則を損なうばかりでなく、権利主張の制約要因となることに注意しなければならない。人権は共同体からの離脱を保障する切り札であるが、「和の精神」はこの切り札を行使しにくくするからである(9)。

自民党草案の人権制約的性格は、「公益」や「公の秩序」の名でもって、人権や結社の自由を制限しようとする条文に具体的に現れている。確かに現憲法においても、人権の制約原理として「公共の福祉」が存在するが、「公共の福祉」の中身は他者の人権に他ならず、個人権を超越した制約原理を想定しているわけではない。

このような前近代的な前文の草案と、人権制約的な条文が公然と現れる背景には、憲法の位置づけについての倒錯した理解がある。言うまでもなく、憲法は何よりも国家による権利侵害から、国民の権利を守る点に最大の存在意義がある。この点は憲法九九条における、公務員の憲法遵守規定を見れば明らかである。ところが、自民党草案の根本には、「憲法とは国民の義務や責務を規定するもの」という、重大な誤解がある。事実、草案には現憲法にはない国民の義務が新たに課されている。たとえば一二条（国民の責務）、二四条（家族の助け合い義務）、一〇二条（国民の憲法尊重義務）などである。

改憲草案の起草委員の一人、片山さつき議員は、「権利を守ることができるのは国家である。現行憲法は国家について否定的すぎる」（『週刊ポスト』二〇一三年一月二五日号）という、信じられない発言をしている。しかし、このような国家と権利に対する逆立ちした理解は、片山議員一人に限られた話ではない。人権擁護法案や人権委員会の設置にかかわる議論で絶えず政府サイドから出てくるのが、「権利問題は主として市民間関係において問題になるのであり、それを調停するのが国家の役割である」という考え方だからである。

かつて明治憲法の逐条審議をしていた枢密院で、森有礼が次のように述べたことがある。「臣民は天皇に対しては独り分限を有し、責任を有するものにして権利にあらざるなり。故に憲法の如き重大なる法典には、ただ人民の天皇に対する分際を書くのみにして足るものにしてその他の事を記載するの要用なし」これに対して、起草責任者であった伊藤博文は「そもそも憲法を創設するの精神は、第一君権を制限し、第二臣民の権利を保護するにあり。故にもし憲法において臣民の権理を列記せず、ただ責任のみを記載せば憲法を設けるの必要なし」(10)。この話は自民党の復古主義的政治家が、明治時代の伊藤博文の憲法理解の水準にまで達していないことをわれわれに教えている。それだけに、憲法の意義が国民の権利を保障し、権力者による権利侵害を防ぐことにあることを、改めて再確認する必要がある。

5　対抗軸の形成

さて問題は、近代国家の基本性格を否定しかねない自民党の改憲案に、いかなる対抗戦略を打ち出すかである。ひとつの考え方としては、自民党の改憲草案に対して、現在の憲法の普遍主義を頑なに対置するやり方がある。しかし、このようなスタンスは理論的には正しいとしても、実践的に有効であるかどうかは疑わしい。その最大の理由は、個人の権利の擁護を主眼とするリベラリズムには、運動論的な広がりを期待できないという点にある。もともと個人の自由は、他者との関係性の切断において成り立つものであり、連帯の精神を欠いているからである。この点に特定のイデオロギーで結束する保守主義に対する、リベラリズム固有の弱点がある。

この点を問題としたのが、コミュニタリアンのM・サンデルである。かれはアメリカ民主党を中心とした、リベラル派の政治的弱点を以下のように指摘する。「民主党にとっての政治的不幸は、彼らが近年、自己統治とコミュニティについて納得のいくように語ってこなかったことだ。その理由は演説の巧拙の問題などではなく、リベラルな政治論に深く根差している。というのも、保守主義とは異なり、現代のリベラリズムには第二の声、つまりコミュニティ的要素が欠けているからだ。現代のリベラリズムを突き動かす主な動機は、個人主義的なものである」(11)。

このような観点からサンデルは、道徳的言説を避けるやり方は、逆に偏狭な道徳の政治的広がりを許すことになるとして、リベラル派に対して「道徳論議から逃げるのを止め、それに取り組む」

ことを求める(12)。

現在の日本の政治情勢を考えるならば、サンデルの提言は真剣に受け止められるべきであろう。われわれにいま求められているのは、自民党の改憲草案に対して、その前近代性を批判すると同時に、保守的価値の押し付けに対して、良質な国民連帯の精神を対置する二正面的作戦ではないだろうか。道徳教育を例に上げるならば、教科化によって強化された権威的な徳目主義を排し、現在の道徳を学校教育のすべての領域（各教科や特別活動、総合学習など）を通して展開する全面主義の方法論を活かすこと、また道徳の「内容」についても、偏狭なナショナリズムにつながる愛国心教育を排し、開かれた愛国心につながる市民社会に固有の普遍的な公共道徳を、攻勢的に展開することである。

その際に参考になるのは、イギリスの市民性教育であり、またユネスコが発表している多文化的な市民性の道徳である(13)。

6　愛国心の根拠、国家観の再点検——佐伯啓思氏の国家観を通して——

閉鎖的な愛国心や偏狭なナショナリズムを排除しながら、同時に、国民的な連帯を担保しうる国家観をどのように描けばよいのであろうか。これがわれわれに課された最大のテーマであるが、似たような問題意識から国家論を展開する思想家に、佐伯啓思氏がいる。国家をコスモポリタニズムへ向かう要因と、ナショナリズムへ向かう要因との均衡体として捉える氏の国家論は、われわれの議論との関係で吟味に値するものであり、氏の議論の検討を通して、われわれの立場をより明確にすることができる。

かれの国家観は以下のようなものである。個人に奉仕する国家観は、国民にサービスを提供する機能的国家観に他ならず、このような契約論的国家観によっては、現実の国家と国民の関係をとらえることはできない。契約論的国家観においては、国家は個人の権利を侵す存在とみなされるが、それでは国家存立の根拠を明らかにすることはできない。

さらに佐伯氏は、国家から道徳性を剝奪する、あるいは普遍主義的なモラルのみを説くリベラルな立場を批判する。氏によれば、「道徳性とは、世界市民主義のような抽象性に結びつけられるのではなく、まずは、私の周りの世界、わたしがそこにおいて具体的に自身を形成し、関係を取り結び、それゆえ具体的に責任を果たすべき世界に結びつけられるべきである」(14)。愛国心の根拠を具体的な諸関係に求めるこの種の議論は、第一節で見たウォルツァーやテイラーと、問題意識を共有しているように思われる。

しかし、氏の言説における最大の問題点は、身近なコミュニティにおいて形成される道徳性と、世界市民的道徳との関係が明確でないこと、さらに世界市民的道徳を追求する姿勢が弱いことである。大事なことは両者を接合する筋道を明らかにすることであり、またそれを阻む要因を乗り越える論理を構築することである。

さらに氏が「道徳、教育、国家は、そしてコミュニティ（小集団）は、そもそも結びつけて論じられる必要があるのだ」そして「国家とはコミュニティの連接体である」と述べるとき[15]、家族のような自然的な共同体と、国家のような人為的共同体とを混同する誤りを犯している。すでに述べたように、愛国心は自然的な共同体を基礎としなければ、根拠付けられないわけではない。この点を国家の契約論的機能である社会保障制度を例に、改めて考えてみよう。

社会保障制度を軸として成立する国民的連帯感は、決して歴史・文化的結びつきを前提としない。この点は、文化や言語を異にする外国人でも、社会保障の当事者たりえることからも明らかである。社会保障自体、負担と受給の関係を見れば分かるように、当事者の契約関係を基本としており、感情（たとえば同情）を基盤として成立しているわけではない。一方、家族関係がこのような契約概念を超えた愛情によって、成り立っていることは明らかであろう。

しかしだからといって、社会保障制度が単なるギブアンドテイクの精神にのみ、依拠しているわけではない。この制度が国民的連帯の精神（支え合い）と国民的責務（負担）を前提とする点で、ある種の道徳性を想定し、またはぐくむ制度であることは否定できない。なお国民的連帯感の維持にとって、現状では、貧困・格差問題をはじめ、国民を分断する諸問題の解決が課題になるが、この点については別に論じているので、ここでは触れないこととする[16]。

7　対抗原理としての憲法愛国主義

国民の自由や生存が保障される点にすなわち、国家の近代的性格に国家への愛着の根拠を求める思想を、J・ハーバーマスは憲法愛国主義と呼んでいる。四半世紀前に「ツァイト紙」に掲載され、その後の歴史論争に火をつけるきっかけとなった以下の文章において、ハーバーマスは、憲法への忠誠に愛国心の根拠を求めた。「連邦共和国が西側の政治文化にいかなる留保もなく開かれていること、このことは、戦後我々の時代が獲得した大きな知的成果である。他ならない私の世代の人間は、そのことに誇りをもっていいように思う。……我々を西側から離反させない唯一の愛国主義は、憲法愛国主義（Verfassungs-Patriotismus）である」(17)。なおこの主張が、特殊な排外的民族主義にとらわれた、ナチスに対する反省をルーツとしていることについては、多言を要さないであろう。

愛国心の根拠を近代憲法に求める考え方は、近代的、民主的国家体制を守る意識を高めるであろう。この種の愛国心は、近代国家一般に見出される点で、開かれた愛国心であることは言うまでもない。その点で憲法愛国主義を、「種の論理」を「憲法原理」に据えようとする、危険な改憲思想の対抗原理として採用してもよいように思う。

ただ、憲法愛国主義が近代国家の絶対化と、前近代社会に対する抑圧的イデオロギーとして機能する側面に対しても注意が必要である。九・一一の同時多発テロ以降のアメリカの覇権主義（アフガニスタンやイラクへの攻撃）に典型的に現れたように、近代的国家体制への愛着は、それとは異質な社会への攻撃的精神と同居する場合もあるからである。アフガニスタンへの報復攻撃に、ウォルツァーのようなリベラルが賛成したことは、アメリカ的価値の限界を物語っている。

　また同様に、近代的国家システムが無条件に開放的であるわけではない。この点は福祉国家の閉鎖的性格が教えるところである。福祉国家は、福祉のコストを削減するために、その受給者を制限することを宿命づけられており、その点で特に外国人に対して、閉鎖的、排除的にならざるを得ないのである。この点は別に論じているので、ここではこれ以上論じないことにする(18)。

8　対抗軸としての参加と責任

　さてこれまで論じてきた、良質の国民国家を基盤とする国民的連帯感や憲法愛国主義は、従来型の防衛的な人権観や傍観的な民主主義観の見直しをわれわれに求めるものである。今われわれに求められているのは、新たな人権と民主主義の姿を描くこと、またこれに対応する公共的市民道徳を構築することである。保守派の権威的道徳が、個人権の過度の追求とコミュニティに対する責任の放棄を理由とするからである。

　この点でまず強調すべきは、保守的道徳に対置される公共的市民道徳は、単なる個人権の主張に終始するものではないこと、もともと権利は責任を伴い、民主主義への参加を含むものであることを確認する必要がある。その際問題となるのが、参加の責任と、参加を拒否する権利（拒否権）との関係である。両者をいかに整合的に捉えるかは、拒否権を含む人権と参加との関係を問うことでもある。

この問題の前提には、人権と民主主義に関わる国民概念の二重性がある。第一に、「国民主権の主体」としての国民であり、第二に、「権利の主体」としての国民である。憲法に即していえば、前者は前文や第一条に、後者は第三章（国民の権利及び義務）に現れる。

この両者の関係は簡単ではない。「国民主権の主体」としての集団は、時には民主主義的決定（多数決）により、個人の意思を踏みにじるからである。このように、国民という存在は人権の主体であると同時に、時にはその人権を侵す集団の一員ともなるという点で、矛盾的存在なのである。

この点にリベラル派が政治との距離感を重視する理由がある。しかし人権が、民主主義によって保障される側面も重視しなければならない。そのことは独裁的国家においては、人権が保障されないことを考えれば分かる。それだけでなく、代表制民主主義が生む政治家の暴走は国民の権利保障にとって脅威ともなるが、このような脅威を防ぐには、権利主体としての国民が、主権者の一員として政治的義務を果たす必要がある。つまり権利の有効な保障のためには政治への関心と責任が条件となるわけである(19)。

また政治への責任を果たすことには、以下のようなより積極的な含意がある。というのは、人権は、従来型コミュニティから、個人の自由を保障するだけでなく、新しいコミュニティへの移行を保障する条件だからである。そう考えるならば、人権は単なる拒否権にとどまるものではなく、新たな共同性（自律性に媒介された）を確保する切り札として積極的な性格を有していることが分かる(20)。

すでに述べたように、個人権に偏した権利理解には、形式化した民主主義が影響していることも否定できない。しかし政治が信頼を欠いた政治家・政党に任された職業的行為ではなく、民主主義的討議への参加と合意の形成を重視する自治的行為であれば、政治への人々の構えも変わるであろう。

この種の民主主義は、討議民主主義あるいは熟議民主主義と呼ばれている。かつてＣ・Ｂ・マクファーソンは参加民主主義を、共同意識をもたらすあるべき民主主義と考えたが(21)、近年において、参加と責任が民主主義の効率化をもたらすことを明らかにしたのは、Ｒ・パットナムである。イタリアの政治風土の分析を通したかれの研究は、社会関係資本（市民間における信頼関係や互酬性）が豊かな北部の州ほど、民主主義がよく機能すること、逆に社会関係資本の弱い南部ほど、住民は政治家に依存的で、民主主義が機能しにくいことを実証的に明らかにした(22)。このことは市民社会の成熟が、民主主義の有効性を高める条件であることを教えている。もともと市民社会の成熟は、権威的保守主義に対抗する条件である。信頼関係に富んだ成熟した市民間関係は、人権意識と参加の精神を育むからである。

ただ参加が、権威的な動機に基づく場合があることにも注意しなければならない。最近の研究では社会関係資本には、①同質な者同士が結びつくボンディング型（結束型）と、②異質な者同士を結び付ける、ブリッジング型（橋渡し型）の二つのタイプがあるが、前者は社会の寛容度を低めるという指摘もある(23)。

この点は、すでに政治哲学の立場から、井上達夫氏が参加民主主義の問題点として鋭く指摘している。氏によれば、元号法制化運動や教科書問題における草の根保守主義を見ればわかるように、参加民主主義は天皇制と必ずしも矛盾しない。したがって、個人の自由を守るために求められているのは、「民主的統合にも潜む同調圧力を、異質なものとの自由対等な共生の理念によって制約するリベラリズムの理念である」(24)。拒否権としての権利は、やはりあらゆる社会的、政治的営為の根底にすえられねばならないのである。

終わりに

本稿では、保守的改憲への対抗軸を国民的連帯感や参加と責任、自治の拡大に求めてきたが、参加や責任の主体が、サンデルの言葉を借りるならば、共同体に位置づけられた存在（situated self）であることも厳然たる事実である。保守思想の根拠が個人のかかる性格にあることは、これまで論じてきた通りである。最大の問題は、繰り返しになるが、このような主体が共同体（民族）の論理に捕らわれるか、あるいはそれを超え、「類の論理」（普遍的連帯）へと自らを高めていくかにある。しかしこの課題は、これまで論じてきたように、それほど簡単ではない。もともと類の立場、あるいは類的共同体は未だ未成熟であり、また個の立場は脆弱であるのに対して、「種の論理」

はその統合力の強固さにより、類や個に対して圧倒的に優位な立場にあるからである。

　このような「種の論理」の強固さを意識しながら、かつて花崎皋平氏は以下のように述べている。「たとえ種の契機の強調が、集団の『自治』への推進力として重要であるとしても、それは地球大の人類共同体の構成員としての類的同胞感情・同胞意識と諸個人の自由な自己実現という人類史の理念との有機的つながりを欠くものであってはならない。その意味で、『種』的独自性の主張は、人類の歴史と文化の共同体への、それぞれの貢献という開放的な意味でのものでなければならない」(25)。花崎氏によるこのような観点は、保守的改憲の勢いが強まる現在の時代の文脈のなかで、今後ますますその実践的重要性を増していくことになるであろう。

　しかし、グローバル化が進める経済レベルでの「類的共同体」の形成と、憲法の普遍主義、平和主義を擁護する運動とがかみ合うならば、日本とアジア、そして世界の未来は、決して暗いものではないであろう(26)。


【注】

（１）たとえば、『国境を超える人権』（三学出版、二〇〇〇年）、『グローバル・ガバナンスの時代へ』（大月書店、二〇〇四年）、『グローバリゼーションの権利論』（明石書店、二〇〇七年）、また望田幸男氏との共編著『グローバリゼーションと市民社会』（文理閣、二〇〇〇年）などである。
（２）同書四頁。
（３）Ｂ・アンダーソン『想像の共同体』（ＮＴＴ出版、一九九七年）、Ｅ・Ｊ・ホブズホーム『ナショナリズムの歴史と現在』（大月書店、二〇〇一年）などにおける議論を参照。

（4）『反デューリング論』（『マルクスエンゲルス全集二〇巻』大月書店、所収）一八五～一八六頁。
（5）M・ウォルツァー「愛情の圏域」（マーサ・C・ヌスバウム編『国を愛するということ』人文書院、二〇〇〇年、所収）二一〇頁。
（6）同書二〇九頁。
（7）同書二〇三頁。
（8）田辺元の種の論理については、藤田正勝編『種の論理』（岩波文庫）参照。
（9）権利を「集団からの離脱を保障するもの」として捉える人権観については、M・イグナティエフ『人権の政治学』（風行社、二〇〇六年）参照。
（10）尾川昌法『人権のはじまり』（部落問題研究所、二〇〇八年）一九九～一九〇頁。
（11）M・サンデル『公共哲学』（ちくま学芸文庫、二〇一一年）六六頁。
（12）同書七五頁。
（13）イギリスのシチズンシップ教育については、梅田正巳『「市民の時代」の教育をもとめて』（高文研、二〇〇一年）が参考になる。またオーストリアの道徳教育については島崎隆『ウィーン発の哲学』（未来社、二〇〇〇年）が面白い。特にⅡ部「オーストリアの教育と哲学」を読むと、オーストリアの教育が道徳的規範を押し付けるのではなく、何よりも子どもたちが自分で考えることを重視していることが分かる。なお市民道徳について、かつてわたしなりの見解を展開したことがある（拙論「国民の道徳から市民連帯の道徳へ」日本科学者会議・思想文化研究委員会編『道徳を問い直す』水曜社、二〇〇三年）。参考にしていただけると幸いである。
（14）佐伯啓思『国家についての考察』（飛鳥新社、二〇〇一年）九一頁。なお同氏の『倫理としてのナショナリズム』（NTT出版、二〇〇五年）のなかで（第四章「倫理としてのナショナリズム」）、グローバル資本主義の没倫理性と、ファンダメンタリズムの超規範性の危険に対して、個人の自立を前提としたナショナリズムを対置しているが、傾聴に値する見解である。
（15）同書九二頁。
（16）この点は拙著『格差とイデオロギー』（大月書店、二〇〇八年）、『成熟社会における人権、道徳、民主主義』（文理閣、二〇一一年）などで論じた。
（17）J・ハーバーマス『近代――未完のプロジェクト』（岩波現代文庫）七四～七五頁。

(18) 拙論「福祉国家の光と影」『基礎科学経済通信八八号（一九九八年）、で述べた。
(19) 国民概念の二重性については、樋口陽一「デモクラシーにとっての『市民』再考」（田中浩編『ナショナリズムとデモクラシー』人文書院、二〇一〇年、所収）参照。
(20) この点について、井上達夫氏は『普遍の再生』（岩波書店、二〇〇三年）のなかで「個人権はアトム的に孤立した個人の反社会的放縦を確保するためではなく、むしろ個人がここに見たような一元的・閉鎖的共同性の陥穽から脱却し、多面的・開放的な共同性を発展させるために必要なのである」（一二〇～一二一頁）と述べている。
(21) C・B・マクファーソン『自由民主主義は生き残れるか』（岩波新書、一九七八年）。
(22) R・パットナム『哲学する民主主義』（NTT出版、二〇〇一年）五八頁。
(23) 稲葉陽二『ソーシャル・キャピタル入門』（中公新書、二〇一一年）。特に第八章「社会関係資本のダークサイド」に詳しい。
(24) 井上達夫『現代の貧困』（岩波書店、二〇〇一年）八〇頁。
(25) 花崎皋平「現代日本人にとって民族的自覚とは」二九三頁（井上ひさし・樋口陽一編「『世界』憲法論文選」岩波書店、二〇〇六年所収）
(26) 市民社会の成熟と参加、責任の関係については、拙著『革新の再生のために』の第二章、第三章を参考にしていただきたい。

第6章　近代民主主義の矛盾とポピュリズム

はじめに

本章では、現代の重要な政治的現象であるポピュリズムを論じる。二〇一九年の参議院選挙で、山本太郎氏が率いる左派系のポピュリズム政党「れいわ新選組」が台頭したことは第3章で触れたが、ポピュリズムは日本においても今後、無視できない政治潮流となる可能性がある。特にそれがこれまで論じてきた安倍流復古主義と、どのようなかかわりを持つことになるのか、気になるところである。それだけに、ポピュリズムに対する正確な認識と評価が求められている。

本稿ではまずこれを右派の政治運動としてよりも、議会制民主主義の機能不全と、エスタブリッシュメントによるエリート支配に対する異議申し立てとして捉えた。他方で、特に右派ポピュリズムの反リベラルで、反知性主義的傾向を危険視する立場から、その社会的要因を分析し、その克服の方向性を論じた。

なおポピュリズムは一過性のものではなく、近代制度と近代市民社会に固有の矛盾から生じる総合的現象であるという立場から、社会心理学的な視点からの分析も試みている。

1　ポピュリズムとは何か

ポピュリズムは民主主義の敵か

二〇一八年は明治元年から数えて一五〇年に当たる年であり、明治以降の日本の近代化を振り返り、今後の世界のあり方を考える良い機会であった。本稿では近代の産物である民主主義の現状、具体的には、アメリカやヨーロッパで話題となっているポピュリズムの問題を取り上げることとする。その理由は、ポピュリズムは、近代民主主義が抱える矛盾と深く関わる政治的現象だからであり、この問題と向き合うこと抜きに、将来の政治と社会を語ることができないと考えられるからである。

本章で論じるのは現代におけるポピュリズムであるが、その歴史は新しいものではない。日本について見れば、最近の研究によれば、すでにポーツマス講和条約（一九〇五年）に対する民衆の反対運動（日比谷焼き討ち事件）にポピュリズム現象が現れており、それがその後の日米戦争に導く大きな要因になったという分析もある(1)。仮にこの理解が間違でないとすれば、明治以降の日本の歴史や戦争の評価を変える必要が出て来るであろう。また最初に述べたように、ポピュリズムは現代日本の課題でもある。その意味でポピュリズムは、日本の戦前の歴史評価だけでなく、現在の日本の民主主義に関わる重要なテーマでもあり、これと向き合うことなしに、今後の日本の政治を語ることはできない。

ポピュリズムは大衆迎合主義とも訳されるが、論者によって使い方は多様であり、またイズムとしての体系性を欠いているため、その定義は容易ではない。しかしポピュリズムの研究者、カス・ミュデによれば、ポピュリズムには「人民」「一般意思」「エリート」という三つの中核概念があるという(2)。これらはみな民主主義の本質にかかわる概念であるが、「人民」と「一般意思」に対して、ポピュリズムでは、「エリート」はそれらと対立する存在として位置づけられる。

なおその核となる人民概念について、エルネスト・ラクラウは階級概念と比較しても、権力との対抗を現すより持続性の高いものと位置付けている(3)。なおこの点についてはここでは論じないが、エリートには共産党の指導層(前衛)が含まれること、すなわちポピュリズムの矛先は、マルクス理論と社会主義体制にも向けられていることを認識しておくべきであろう。

ただ人民概念は階級概念より普遍的であるとは言うが、ポピュリズムで具体的に話題となる人民概念は人民一般ではなく、特定の集団・階層が念頭に置かれている。

ポピュリズムの先駆けと言われる一九世紀末のアメリカ人民党の場合は、窮地に置かれた当時の農民階層を指していた。したがってポピュリストが念頭に置いている人民概念は、多様で複雑な現実の人民ではない。彼らが念頭に置いている人民は、近年の資本主義のグローバル化によって、生活の基盤を失いつつある下流中間層である。彼らには自分たちの窮状に向き合わず、グローバル化を進める既成の政治的、経済的エリートに対する反感がある。トランプを大統領に押し上げたのは、ラストベルトと呼ばれるさびれた工業地帯の労働者であり、またイギリスをＥＵから離脱させたのは、エスタブリッシュメント（ＥＵ官僚を含む）から顧みられないブルーワーカーであった。

彼らは通常の議会制民主主義のルートでは、自らの政治的不満を表出する回路を奪われた、いわば「見捨てられた人々」であり、それが大統領選挙や国民投票を機会に一気に現れることになる。しかも時代の傾向から取り残された彼らの要求は、自由経済や移民政策への反発にあるように、排外主義的でナショナリズムの性格を帯びる傾向が強い。彼らに共通するのは、アメリカ・ファーストに見られるように自国中心主義であり、また国民国家機能の強化である。それだけではない。トランプ大統領が反移民だけでなく、反同性愛政策を掲げていることに示されるように、ポピュリズムは反リベラルな性格を有する傾向がある。すべてではないが、ポピュリズムの有するこのようなイデオロギー的、道徳主義的性格は、リベラルな立憲主義的立場からすれば、警戒すべき存在ということになる。

この点にヤン・ミューラーのような政治学者が、ポピュリズムは反多元主義であるとして、民主主義にとっての真の脅威と決めつける理由がある（4）。しかし問題はそれほど簡単ではない。先進国におけるポピュリズムは、近代的価値と体制を否定するかつての極右勢力と異なり、民主主義体制を認め、その形骸化を民衆の立場から批判するからである。しかも彼らを排外的であるからといって、人種差別主義者と決めつけるわけにもいかない。彼らの窮状がそうさせているからであり、かれらの生活を脅かすグローバル化が、それだけ深刻だからである。

われわれが本稿で問題とするのは、このようなタイプの先進国型ポピュリズムである。この種のポピュリズムが厄介なのは、政治学者の水島治郎氏が指摘するように「現代デモクラシーの基本的価値を承認し、むしろそれを援用して排除の論理（不寛容なイスラム世界の移民に対する――著者）を正当化」し、しかもそれを「人民」の名でもって主張するところにある(5)。加えてこのようなポピュリズム政党のなかには、議員の任期制限や議員報酬の労働者の平均賃金並み化など、議会改革を掲げるイタリアの五つ星運動や、政党組織の硬直化・官僚化を招かないために党員や支部を排し、市民との直接的コミュニケーションを重視する、オランダの自由党のような政党も存在する。

五つ星運動も自由党も右派的な傾向を有するポピュリズム政党であるが、このような政策には、議会制民主主義と政党政治の形骸化、またエリート支配に対して、民主主義を民衆の手に取り戻すという含意がある。

ポピュリズムと近代民主主義の限界

ところでポピュリズム政党が、排外主義的な性格を帯びる要因はどこにあるのだろうか。第一の理由は現実的なものである。それはすでに述べたように、グローバル化により「見捨てられた人々」を生み出す政治的、経済的矛盾である。しかしこの矛盾が必ずしも排外主義に結びつくわけではない。開放的な経済政策を採用しながら、配分政策によって矛盾を解決することも可能だからである。

大事なことは、なぜ現代の先進民主主義国家において、排外的傾向が現れるのかという点である。

この問題を理解するには、以下のような近代民主主義に本質的な歴史的、現実的限界を認識する必要がある。つまり「民主主義」とその主体である「人民」は普遍的な概念であるが、現実には特定の国民国家の枠内で成立している。したがって人民は特定の国民であり、また民主主義はそのような国民から成る政治制度に他ならない。ところで言語をはじめとする民族的同一性によって定義される国民国家は、異質の他者を排除する政治的共同体である。国民国家の排他性は権利にも及ぶ。権利は普遍的であるべきだが、ハンナ・アーレントがユダヤ人を例として述べたように、特定の国民でない者にとっては「無意味な」概念だからである(6)。この点に近代市民社会（現実には国民社会）と民主主義の限界があり、ポピュリズム政党の不寛容で排外的な政策が生まれる根本的要因がある。

このような要因に加えて、現代資本主義の新たな展開が、排外的ポピュリズムの台頭を促すことになる。最大の矛盾は国民国家の枠組みがグローバル化によって弱まることにより、国家による社会保障など国民保護機能の水準が低下しているという事実である。その前提には、ヨーロッパに典型的なように、高度に社会国家化（福祉国家化）した現代国家の現実がある。このような状況は、社会的弱者の国家への依存度を高めることになる。社会的弱者（「見捨てられた人々」）にとっては、国家より他に頼るものがないからである。この点に現代のポピュリズム勢力が移民に反対し、国民国家への回帰と主権の回復を求める理由がある。

加えて地域統合を前にしたヨーロッパの現状は、ポピュリズムが台頭する要因に満ちている。というのは統治の単位が拡大するほど、専門化したエスタブリッシュメント（EU官僚）の支配は強まり、エリートと一般民衆との距離は離れていく。その結果、民主主義的決定権が奪われている、という民衆の不満が大きくなるからである。特に二大政党制では政策が似かよることにより、民衆の不満の受け皿が無くなり、「見捨てられた人々」はポピュリズム政党に希望を託す以外、選択肢がなくなるのである。

このように見ると、ポピュリズム台頭の要因としてグローバリズムの下で拡大する国民国家体制の揺らぎと、それがもたらす国家の機能不全があるということ、さらにこれにより、国民国家がもともと有していた排外的性格が先鋭な形で呼び起こされた、と解釈することができる。それ故、われわれはポピュリズムを現代世界の趨勢としてだけでなく、近代国家固有の矛盾の現れとして正面から受け止めるべきであり、民主主義の敵として簡単に切り捨てるべきではないのである(7)。

日本のポピュリズム

ところでこのような欧米の状況は、日本にも存在する。そこで気になるのは、日本におけるポピュリズムの存在である。果たして日本にポピュリズムが存在するのであろうか。日本におけるポピュリズム研究はまだまだ緒についたばかりであり、それはわれわれに与えられた今後の課題と言わなければならない(8)。そこでまず取り上げるべきは、日本でポピュリストと呼ばれる政治家の存在である。われわれがまず思い浮かべるのは、小泉純一郎氏や橋下徹氏のようなやや異色の政治家であるが、彼らを果たしてポピュリストと呼ぶことができるであろうか。彼らが自らの政治目標（郵政民営化や大阪都構想など）を直接、総選挙や住民投票などで国民、府民に訴えることにより実現しようとした点で、その手法はポピュリズム的であると見ることができる。

しかし彼らは既成勢力を批判するが、エリート批判を欠いており、市民と政治との間に新たな関係を構築することを目標としてはいない。その点では、彼らはポピュリスト的手法を利用した新自由主義的政治家とみるべきであろう。また「維新の会」は実行型の政治体制（例えば首相公選制）を唱えるが、政治組織のあり方は政治家中心で、エリート主義的である点でポピュリズム政党とは言いがたい。維新の会が結局のところ、自民党にすり寄り、その補完政党と化していることがそのことを示している。

加えて日本には、ポピュリズムの台頭の要因となる、ＥＵのような地域統合による主権の空洞化や、大量の移民問題が生じていないという事実がある。しかしこれらの事実は、本格的なポピュリズムの可能性が日本に存在しないことを意味しない。グローバル化による経済格差と貧困の拡大、既成政党や労働組合の形骸化と無党派層の増大などが示す政治不信などが、日本にも同様に存在するからである。特に日本的雇用の崩壊による非正規雇用の急速な拡大による生活不安は、深刻な状態にある。彼らは既存の組合からも疎外された「見捨てられた人々」である。欧米における「人民」は、崩壊しつつある下流中間層であったが、日本でこれに当たるのは、若者層を中心とした非正規雇用者層と言えるであろう。若年貧困層の政治意識が保守的であることはよく知られた事実であるが、彼らが右派ポピュリズムの供給源となる可能性は少なくない。

2 ポピュリズムと反知性主義

エリート支配とポピュリズム

最初に上げたように、ポピュリズムを特徴づけるものとして、エリートあるいはプロの支配に対する反発がある。政治的、経済的エリートが民衆の意識からかけ離れ、自らの利益を追求するならば、それは民主主義の原則に照らして許されないことであり、厳しい批判にさらされて当然であろう。この側面は取りあえず、ポピュリズムの肯定的側面として捉えることができる。

しかしポピュリズムには、民主主義の成熟にとって見過ごせない問題がある。それは指導者がその主張を、大衆に訴える政治的手法の特異性である。そのなかには事実の捻じ曲げやでっち上げも含まれる。そのことはポピュリズムの指導者が、人々の理性的判断にではなく、情動や不安に訴えることによって、支持を拡大しようとすることを意味している。アメリカの大統領選挙や、イギリスのＥＵ離脱に際して多くのフエイクニュースが流され、彼らの勝利に貢献したが、そのような手法が大衆の鬱屈した情動を惹起するのに好都合だからである。

このようなポピュリズムの反知性主義的傾向こそ、反リベラルな傾向と共に、われわれがもっとも警戒すべきものである。しかもこの二つの傾向は、相互に作用しあう関係にある。ポピュリスト的指導者は、自ら感情的言動によって民衆の情動を掻き立てようとする。

彼らのキャラクターは、慎重さを旨とする従来型政治家とは大きく異なり、率直で「人間味」を感じさせる点に特徴がある。

そのような戦略に乗せられた大衆は、闘争本能が刺激され、仲間と結束して敵を作り上げる。もともと近代国民国家は、メディアなどを通して国民の感情を強力に統合する機能を持つが、ネガティブな感情の矛先は移民など異質な人々に向けられやすい。

このような民衆の情動的側面をより深く考察するには、民衆の置かれた現代的状況や現代人の精神構造を理解する必要がある。このことはポピュリズムが生まれる社会学的、心理学的要因を分析することを意味している。この側面の分析は政治学者に欠ける視点であるが、ポピュリズムの本質理解にとって、不可欠な課題なのである。

付け加えて言えば、国民投票などの直接民主主義的方法は、非合理的な情動に支配された「人民の意思」を表現する政治的手法として都合の良いものであること、その点で、かつてナチスが、国民投票を多用したことを思い起こしておく必要があるだろう。

機能的社会と非合理主義

それではなぜ民衆は不安定な情動に支配され、非合理的行動に走るのであろうか。この点を明らかにするには、近代社会におけるエリート支配の内実を分析しなければならない。現代社会は高度に機能化された社会であり、それを象徴するのが官僚制である。官僚化は行政機構や政治の世界だけでなく、産業社会の本質的傾向である。マックス・ウェーバーが述べたように、これは近代以降の歴史の進歩であり宿命であった。よく知られているように、彼は支配を①合法的支配、②伝統的支配、③カリスマ的支配の三つの類型に分けた。近代的支配が①の範疇に入ることは言うまでもないが、それは同時に官僚制によって可能となったのである。

そして官僚制は社会のエリートによって担われ、一般化する。言い換えれば、政治組織や行政組織だけでなく、企業においても法的、経済的知識とその運用に長けた階層、すなわち高学歴で知的な人々が支配層を形成することになる。これが現代社会におけるエリート支配の実態である。

しかし民衆が、このような体制を素直にまた永遠に受け入れるとは限らない。哲学者のヒュームは「理性は感情の奴隷である」と述べたが、もともと人間は情動的存在であり、理性やそれが制度化された法体系は、その抑制装置として存在するとも考えられる。ましてエリート支配が自らの利益に反すると感じるとき、民衆は機能的社会とエリートによる合理的支配に違和感を抱き、非合理的情動を高めることになる。この点をいち早く指摘したのが、社会学者のカール・マンハイムである。

マンハイムは機能的合理性に支配された社会は、「他面大衆社会としては、無定形の人間集合に特徴的なあらゆる非合理性や激情的暴動を生む」と述べている(9)。その理由は、近代産業社会が合理的判断に基づく決定権をエリートに引き渡した結果、人々の物事への理性的判断の水準(実質的合理性)を低下させたからである。

ところで大事なのはマンハイムの以下の発言である。合理化された社会では絶えず大衆の衝動が抑圧されるが、大衆民主主義がそのような非合理的行動の門戸を開き、「かくて、民主主義は、それ自体みずからの反措定を産み、その敵に武器を与えすらする」(10)。つまり非合理的な情動は、ナチスの台頭が示すように、民主主義を媒介として全体主義を導くというのである。その背景には個人を分断し、人々を不安定な精神状況に追いやる大衆社会化現象が存在する。

もちろんこれは第二次大戦以前の社会分析であり、現代にそのまま当てはまるわけではない。知的水準をはじめ、市民社会の現状は大きく変わっているからである。それに情動に駆られた行動が、すべて政治的に否定的な結果を生み出すわけでもない。しかし人々の精神的側面からするこのようなアプローチは、ポピュリズムの本質に迫るものであり、民主主義をその反対物に転化させないために、またより成熟した市民社会を形成する上で、重要な視点であることは間違いない。この点については、以下において再度論じる予定である。

3　ポピュリズムを乗り超えるために

現代におけるポピュリズムの台頭は、われわれにさまざまな課題を提起している。それらはまず、グローバル経済下における格差の拡大によって生み出された「見捨てられた人々」の存在であり、そして彼らの声が反映されない議会制民主主義と政党政治の機能不全、さらには、経済界を含むエスタブリッシュメントのエリート支配である。さらにその背景には、個人が孤立し人々の絆が弱化した現代の大衆社会化状況と、そこにおける人々の鬱屈した心理状況があることを忘れてはならない。

われわれはポピュリズムが提起した、このような課題にどう向き合えばよいのであろうか。これらの傾向が近代自体によって産み出されたものであるとすれば、簡単な処方箋が無いことは明らかであろう。この問題に対しては、当面の対応と同時にポピュリズムの基盤となっている、現代市民社会の矛盾の認識と、それに基づくやや長期的な戦略が必要である。

ところでポピュリズムの主体となる「人民」は、現代では見捨てられた下流中間層であるが、彼らを窮地に追い込んだのは、EUなどの地域統合を含めたグローバル化である。グローバル化は言うまでもなく資本の論理から生じており、歴史的な趨勢ではあるが、そこから生まれる矛盾を緩和、是正する装置を欠いて進めれば、そのしわ寄せが社会的弱者に行くことは目に見えている。国家の重要な機能である、徴税や富の再分配機能が奪われた状態での労働力の流動化が、格差を拡大することは目に見えている。現状では、国際的レベルでの徴税や富の再分配は、遠い将来の課題である。このような状況でわれわれにまず求められるのは、グローバル化の速度をコントロールすることにより、国家の国民保護機能を回復し、人々の将来に対する不安を軽減する以外ない。

国家の国民保護機能について言えば、日本の場合には、固有の矛盾が存在している。というのは、ジニ係数が再分配によっても改善されないことが示すように、日本は国家による再分配機能が著しく弱いこと、社会保障制度（例えば雇用保険制度）が、すでに述べた非正規雇用層などの「見捨てられた人々」に対応する形になっていない、という事実がある。さらに人口構成のいびつさもあり、富の再分配が高齢層に偏っている、という矛盾も深刻である。その結果、子どもの貧困率からも分かるように、貧困家庭の教育の機会が奪われ、教育を媒介として貧困・格差が世代にわたって継承される構造が生まれている。

次いで取り上げるべきは、民主主義の制度に関わる問題である。民主主義の機能不全がポピュリズムの直接的要因であるとすれば、これを正す具体的方策が同時に追求されねばならない。それは多岐にわたるが、いくつか挙げるならば、まず民意を反映しない選挙制度（小選挙区制）、既成勢力（財界―労働界とも）の利害にとらわれた政党政治、政治家の腐敗、政党の権威的な組織編成など、不安定雇用層など頼るべき組織を持たない人々の声が届かない体制を変えることである。

この点で欠かせてはならないのが、日本社会の特殊性と大衆社会化状況の理解である。すなわち日本では、企業主義的風土の存在により市民社会の諸組織が弱く、そのため人々の絆がとりわけ弱い、という特徴がある。個人が孤立した大衆社会化状況は、質の悪いポピュリズムを横行させる土壌となる危険がある。

加えて見逃せないのが、情報化の進展である。情報化は民衆の側からの情報発信を可能にし、政治への新たなアクセスを可能とさせたが、ルールを欠いた情報化は感情的で無責任な意見を、大量に流布させることになったからである。

しかし注目すべきは、このような社会状況への対応が各レベルで進められているという事実である。政治レベルでは、集団的自衛権などの問題で立憲主義を踏みにじる安倍政権に対して、市民が政治に積極的にコミットする傾向が生まれている。

市民社会レベルでは、第三セクター（非営利領域）の活動に注目すべきである。グローバル化した経済に対抗する、経済の地域化の可能性がそこにあるからである。資本、国家に対する第三セクターの活動は、友愛原理を基本とするものであり、その拡大はグローバル化した資本の支配に対し、人々の絆と信頼関係の回復を図ることを意味している。

またほんの一例ではあるが、急速に拡大した子ども食堂や無料塾などの取り組みは、新たな地域の再生力を示すものである。このような活動により市民社会の信頼関係が築かれること、そして市民社会の活動と政治との懸隔を少なくすること、とりわけ参加と熟議の民主主義を、市民社会レベルにおいて構築していくことは、責任ある理性的主体の形成と市民社会の成熟に貢献するであろう。そのことはまた、マンハイムが指摘した反知性主義と、悪しきポピュリズムの横行を抑止する最終的方法なのである。

【注】

（1）筒井清忠『戦前日本のポピュリズム』（中公新書、二〇一八年）。

（2）カス・ミュデ、クリストバル・R・カルトワッセル『ポピュリズム』（永井大輔、髙山裕二訳、白水社、二〇一八年）第一章「ポピュリズムとは何か」。

（３）エルネスト・ラクラウ『資本主義・ファシズム・ポピュリズム』（大阪経済法科大学法学研究所訳、柘植書房、一九八五年）四章ポピュリズムの理論を目指して。
（４）ヤン・W・ミューラー『ポピュリズムとは何か』（板橋拓己訳、岩波書店、二〇一七年）、本書ではポピュリズムは民主主義にとって真の脅威であると規定している。
（５）水島治郎『ポピュリズムとは何か』（中公新書、二〇一六年）、二二二頁。
（６）ハンナ・アーレント『全体主義の起源』（大島通義、大島かおり訳、みすず書房、一九七二年）２帝国主義、五章。
（７）政治学者の吉田徹氏は、ポピュリズムを否定することは民主主義の抱える問題を無視することであり、徹底したポピュリズムこそが民主主義を救うと述べている。『ポピュリズムを考える』（ＮＨＫブックス、二〇一一年）第五章。
（８）戦後の日本のポピュリズム研究としては、大嶽秀夫『日本型ポピュリズム』（中公新書、二〇〇三年）があるが、日本の政治家のポピュリスト的傾向の叙述が主であり、日本型ポピュリズム自体の理論的分析が欠けている。
（９）カール・マンハイム『変革における人間と社会』（福武直訳、みすず書房、一九六二年）七三頁。
（10）同七六頁。

第7章　国家と道徳教育――教育支配への対抗軸を考える――

はじめに

小学校では昨年度から、中学校では今年度から道徳の教科化が始まった。現場の教員は、どのような気持ちで教科化を受け止めているのであろうか。昨年四月の『週刊朝日』に東京学芸大や北海道教育大などが実施した、公立学校の教員（五三七三人）におこなったアンケートの結果が紹介されていた。これによると教科化に反対が小学校で七九％、中学校で七六％という結果であった。反対の主な理由として上げられていたのが、「業務負担の増加」と子どもの「内面を評価すること」に対する疑問である(1)。日本の教員の勤務時間が世界一長いことはよく知られているが、教科化が新たな負担を現場に与えていることは、わたし自身の聞き取りからも、理解できるところである。

後者の反対理由、すなわち子どもの「内面を評価すること」に対する疑問は、教科化の問題の本質をよくとらえている。子どもも含め誰でも自分らしい人生を送りたいと考えているが、人にはそれぞれの個性に応じた考え方や生き方があり、そこに多様性があることは言うまでもない。内面を評価することは、子どものそのような多様な成長の妨げになる恐れがある。この点は後にまた論じる予定である。

1　道徳の教科化の経緯と安倍政権の教育政策

このような懸念があるにもかかわらず、なぜ政府は教科化を押し進めるのであろうか。そのきっかけとなったのは、二〇一一年に大津市の中学校で起きたいじめ自殺事件と言われている。つまりいじめをなくすために、道徳教育を強化しようというのである。しかし安倍首相は実は第一次政権時（二〇〇六年〜二〇〇七年）にも、道徳の教科化を目論んでいたのである（教育再生会議二〇〇七年答申）。ただ政権が短命であったために果たせなかったのであり、したがっていじめ問題は口実に過ぎないということになる。

第二次安倍政権が発足してすぐに取り組んだのが、第一次政権でやり残した道徳の教科化である。首相の私的諮問機関である教育再生実行会議では発足早々、いじめ問題と絡めて道徳の教科化を提言している（二〇一三年）。安倍首相は第一次政権でも、教育基本法の改定によって愛国心や道徳心の育成を教育の目標に盛り込んだように、教育「改革」に熱心であるが、その理由はどこにあるのであろうか。

「戦後レジームからの脱却」という政治的スローガンが示すように、安倍首相の最終的政治目標は自主憲法の制定であり、そのモデルとなるのが、二〇一二年に決定された自民党の復古主義的な改憲草案である。彼が高く評価するこの草案は、その前文で日本の国柄を描き、国防や助け合いなど、日本人のあるべき生き方を示している。そのことは個人の尊重や人権を制限することを意味するものであり、その点で、とても近代憲法と呼べるような草案ではない。

もちろん現在の憲法が存在する限り、復古主義イデオロギーが日本の国是となることはない。しかし憲法は簡単に変えられないとしても、自らの信条を政策的に実行していくことは可能である。道徳教育の教科化は、そのような政策の一つと考えることができる。右翼的政治家ほど不寛容であり、自らの信条を人に押し付けたがるものであるが、その手段として利用されるのが教育である。それだけに安倍政権の教育政策に注意が必要なのである。

2　戦前の道徳教育が何をもたらしたのか

教育が政治の影響から自由でないことは言うまでもないが、道徳教育は特に国策のために利用されやすい。戦前の場合にはそれが顕著であった。その点で特に問題とすべきは、修身科の果たした役割である。明治初年においては文明開化の影響があり、それほど重視されていなかった修身科が、筆頭科目として位置付けられ、特段に重視されるようになったのは、明治一三年の改正教育令においてであった。

大事なことはその変化の政治的背景である。明治一〇年代に入ると自由民権運動への対抗もあり、政府は教育に対する統制を強めることになる。政権内部での論争があったが、「維新以降の道徳的混乱の理由は西欧文明の導入にある」という宮廷復古派の主張が通り、仁義忠孝を柱とする儒教道徳が日本古来の伝統であるとして、道徳教育の基本に据えられることになる。その結果、それまで使用されていた西洋倫理を説いた翻訳ものの教科書が禁止されることになった。明治二三年には国民統合をより強化し、天皇制国家における忠良な臣民を作るために教育勅語が出されたが、その後、修身科は教育勅語の徳目に沿っておこなわれることになる。教育勅語が国民に軍国主義の精神を植え付けたこと、そのことにより戦争の悲劇を招くうえで、大きな役割を果たしたことは周知の通りである。戦後すぐに、ＧＨＱが修身科教育を禁止したのはそのためである。

今後、道徳教育を危険な方向に導かないために、われわれは戦前の修身科教育から教訓を引き出さなければならない。その際重要なのは、修身科との比較において現在の教科化された道徳との共通点と同時に、内容の違いを明確にしておくことである。このことはこの問題への取り組みの方向性を誤らないための前提だからである。

3　戦前の修身科と戦後の道徳教育の共通点と違い

その点でまず指摘しておくべきは、検定教科書に基づき科目として教えられ、評価がなされる点では修身科と基本的に同じである、という事実である。教科書を使用することの意味は大きい。その内容によっては人権や民主主義など、近代的価値を否定することも可能だからである。例えば、採用された二社の教科書（小学校六年用）に「星野君の二塁打」という話が載っている。監督の「犠牲」バントの指示を無視して、二塁打を打った星野君はチームに勝利をもたらしたが、後に監督は指示を無視した星野君を、次の試合に出さない決定をする。この訓話は野球というスポーツを利用して、集団と個人のあるべき関係を教えるものであるが、両者の関係はそれほど単純ではない。しかしこの話は、集団のために個人を犠牲にするという考え方を絶対化しかねない。検定教科書には、この種の訓話が多い(2)。

このような問題をはらんではいるが、教科化によって戦後の民主教育の伝統が覆されるわけではない。教科でありながら現在の道徳の指導要領が、他の教育分野との関係を重視する「全面主義」の立場を維持していることがそのことを示している。また修身科は特定の資格を持つ専任の教員が担当していたが、「特別の教科　道徳」は担任の教員が教えるのが原則である。道徳を本格的に教科とするならば、教員免許に新たな資格を設けなければならない。これらの点に、道徳を「特別の教科　道徳」と呼ばざるを得なかった理由がある。

道徳の内容（徳目）についてはどうであろうか。戦後の道徳教育は「個人の尊重」をはじめとする憲法原理に従わざるを得ず、すでに上げた教科書の例にあるように、具体的対応においては注意が必要であるが、「個人の尊重」や「人権」の原理を頭から否定することはできない。道徳の評価において、修身科のような段階評価ではなく、子どもの成長を励ますような記述式が望ましい、とされたことがそのことを示している。

さらに重要なのは、戦前と戦後の教育環境の大きな違いである。安倍政権は長期化しているが、この事実は国民が彼の復古的信条を支持していることを意味しない。戦前とは異なり、戦後の日本社会における憲法原理の定着や、市民社会の変化があるからである。そのことを示す一例として、教科化が決められた時のタレントで映画監督でもある北野武氏による発言を引用しておこう。

「ひとつの国がひとつの価値観でまとまっていたら、違う価値観は叩き壊さなきゃいけなくなる。独裁国家というのは、つまり独裁者一人の価値観で国中を染めるということだ。いろんな価値観があった方がいいのだ。価値観がいろいろあれば、道徳だっていろいろあることになる。道徳というのは、価値観の上に乗っかっているものなのだ」(3)。

「道徳は将来の理想的な国民を育成する道具ではないはずだ。一にも二にも、子どもの成長や発達のためのものだろう。今の道徳教育は、子どもはこうあらねばならないという型がまずあって、その型にむりやり子どもを押し込めようとしているみたいだ」(4)。

北野氏の発言は、国民の意識を代表する意見と考えてよいであろう。われわれが教科化の問題に取り組むにあたっては、まずこのような大きな時代の変化、取りわけ市民社会の成熟を踏まえることが重要なのである。

4　道徳教育の新たな傾向

以上の点を確認した上で注意すべきは、教科化のなかで、現代の社会経済状況に応じた、新しい道徳教育の方向性が示されている点である。この点は戦前の押し付け的な道徳教育と異なるだけでなく、これまでの副読本を使った、読み物中心のそれとも異なっている。具体的に言えば、それは文科省が強調する「考える道徳、議論する道徳」への転換である。専門家会議は道徳教育の質的転換について、中央教育審議会の以下のような答申を引用しながら、その特徴を示している。

「道徳教育の本来の使命に鑑みれば、特定の価値観を押し付けたり、主体性を持たず言われるままに行動するよう指導したりすることは、道徳教育が目指す方向の対極にあるものと言わなければならない。むしろ、多様な価値観の、時に対立がある場合を含めて、誠実にそれらの価値に向き合い、道徳としての問題を考え続ける姿勢こそ道徳教育で養うべき基本的資質である」。(「特別の教科　道徳」指導方法・評価について、平成二八年七月)

もっともな見解と言えなくもないが、その背景にどのような事情があるのだろうか。この点について、ある文科省の担当官がややあからさまに、以下のように語っている。「……目の前の我が国の子どもたちが競争しながら共存しなければならない相手は、異なる言語や文化、価値観のなかで育まれている国外の子どもたちである。我が国の持続的な発展のためには、成熟に裏打ちされた感性や技術力を発揮し、潜在内需の掘り起こしとグローバル市場の獲得の二兎を追わなくてはならない」(5)。この発言から分かるのは、現代の道徳教育は、日本の置かれた経済的環境に対応したものでなければならず、それが「考える道徳、議論する道徳」というわけである。

この発想は一九八〇年代後半に提唱された、新学力観の延長上にあるものである。近年では「生きる力」やアクティブラーニングなどを重視する、文科省の方針と通底するものであり、それを道徳教育にも持ち込もうとするものと言ってよい。

5　道徳教育政策の二つの側面

これまでの考察を通して分かることは、安倍政権の道徳教育政策には、復古主義的で押し付け的な傾向と同時に、現実の経済的、社会的要請に応えようとする二つの側面がある、ということである。どのような政権でも、現実の課題と向き合わざるを得ないが、後者の側面は政治的現実主義の現れと見てよい。しかし両者が、矛盾的関係にあることも事実である。そもそも教科化や教科書の使用は、中教審が求める主体性の育成に逆行するものであろう。というのは、教科書は子どもの多様な意見を一つの方向に収斂させることにより、考える機会、議論する意味を奪うからである。付け加えて言えば、このことは「考え、議論する道徳」の立場から、押し付け道徳の矛盾を明らかにする戦略の可能性を示唆するものである

しかしわれわれが最も重視すべきは、後者の自主性や創意の育成がはらむ問題性である。すなわち自主性や創意が、子ども自身の幸福や成長のためではなく、国家や資本の利益追求の手段として位置付けられているという点である。このように、教育を「人材」育成の手段とする点では、求められる人材の中身の違いこそあれ、戦前と基本的に変わっていないと言うこともできる。

そのことが新たな矛盾をもたらすことは明らかである。そもそも考えること、議論すること、またコミュニケーション自体が苦手な子どもは、どうすればよいのであろうか。教育の原点は、人間の弱さや無力を受け入れることである。この点を軽視し、子どもを駆り立てる教育は、能力主義と自己責任の名によって、子どもを選別し、切り捨てることになるであろう。

6　対抗軸を考える

このような傾向に対して、われわれはいかに対応すべきであろうか。この点で、二つの対抗軸を上げる必要がある。第一は、「教育の政治的中立性」、「国家の道徳的中立性」といった近代国家が従うべき原則を確認することである。この原則は憲法に規定された個人の尊重と、そのための権利保障の前提である。というのは、政教分離の原則や思想、良心の自由は、個人の信仰や生き方の多

様性を保障するものであるが、仮に国家が特定の宗教やイデオロギーと結びつくならば、これが容易に侵されることは明らかであろう。なお「教育の自由」や「学問の自由」はこの原則と結びついている。この原則を確認することは特に、安倍政権による押し付け的、復古主義的教育政策に対抗する上で重要である。

ただ現実には、社会化された現代国家において、「教育の自由」を擁護、実現することは容易ではない。教育は国家によって定められた法令により、高度に組織化された制度のなかでおこなわれるからである。しかし教育の内容やあり方を決めるのが国民であるということは（国民の教育権）、民主主義の大原則であり、民主主義を否定しない限り、この原則を否定することはできない。なおこれは本稿の課題ではないが、この問題と関わって、人権教育（主権者教育を含む）の重要性が改めて確認される必要がある。

もう一つの対抗軸は、子どもの教育のあり方自体に関わるものである。教育におけるわれわれの基本的立場は、子ども自身のための子どもの成長であり、この点こそ、国家による教育支配を批判する基本的な立脚点である。「教育の自由」や「国民の教育権」が重要なのは、まさにこのこととの関係においてなのである。ところで子どもの成長のために必要なのは、まず「自分が自分であって大丈夫」という、自己肯定感を育てることである。特に日本の子どもが競争的環境のなかで、自らに自信を持てない状況に置かれていることを考えるならば、子どものあるがままの姿を受け入れ、寄り添い、ケアすることが重要である(6)。

そこでここでは、寄り添いやケアという概念を、国家や資本による教育利用に対抗する重要な原理として位置づけたい。その際、役に立つのがアメリカの哲学者、M・メイヤロフのケアについての見解である。彼はその著『ケアの本質』のなかで、ケアのさまざまな側面を明らかにしている。まずケアの定義であるが、「一人の人格をケアするとは、最も深い意味で、その人が成長すること、自己実現することをたすけることである」(7)。それ故、それは「自分の種々の欲求を満たすために、他人を単に利用するのとは、正反対のことである」(8)。つまりケアの本質は、ケアされる対象の「存在の権利」と「かけがいのない価値」にある。

しかしそのことは、ケアする者の一方的奉仕を意味しない。「相手の成長を助けること、そのことによってこそ私は自分自身を実現する」とメイヤロフが言うように(9)、ケアすることを通して、ケアする者自身が自己実現するのである。子どもが先生を必要としているように、先生も子どもを必要としている、すなわちケアは相互作用であり、両者はこのような関係において成長していくのである。

終わりに

ただこのような関係の形成は、現実には親子関係においても容易ではない。制度化された学校では、さらに困難であろう。しかし誰でもこのようなケアの本質を体験していることも、間違いのない事実である。またそれが教育の出発点であることは、権力者も含め誰も否定できない。子どもの生命と安全を目的とした、地域における子どもの見守り活動なども含め、ケアは教育の原点であり、ケアの意識に基づく活動を学級や学校、さらに地域で拡大していくことは、国家主義的な復古主義イデオロギーに対してだけでなく、競争と効率本位の資本の論理に対する、最強の対抗手段なのである(10)。

【注】

(1) 特集・「道徳」教育で混乱する教育現場(『週刊朝日』二〇一八年四月二〇日号)。
(2) 検定教科書の問題点を理解するために、元文部官僚の寺脇研氏による『危ない道徳教科書』(宝島社、二〇一八年)が参考になる。
(3) 北野武『新しい道徳』(幻冬舎、二〇一五年)一二一～一三一頁。
(4) 同書一三四頁。
(5) 文科省初等中等教育局教育課程課長・合田哲雄「道徳教育の質的転換に向けて」(『別冊・初等教育資料九月号臨時増刊』平成二七年)一頁。
(6) 子どもの自己肯定感の重要性については、高垣忠一郎「自己肯定感を育む」(八木英二・梅田修編『いま人権教育を問う』大月書店、一九九九年所収)が参考になる。
(7) M・メイヤロフ『ケアの本質』(ゆみる出版、一九八七年)一一頁。
(8) 同書、同頁。
(9) 同書、六九～七〇頁。
(10) なお道徳の教科化に、全体としていかに対応するかについては、拙著『道徳の教科化への向き合い方』(かもがわ出版、二〇一七年)を参考にしていただけると幸いである。

第8章　道徳教育の教科化への向き合い方——市民社会論の立場から——

1　教科化の受け止め方

求められるしなやかな感性

二〇一八年度から道徳教育の教科が始まった。その問題点、特に国家が道徳教育をコントロールする危険性については、7章で論じたところである。本章では少し角度を変え、実践的問題意識から教科化を論じることとする。

実践的立場から問われるのは、この問題の受け止め方である。戦後、われわれは国の教育政策を、的確に受け止めてきたであろうか。このような問いを立てる理由は、この点の総括抜きに、教科化に対する有効な戦略は出てこないと思うからである。答えは残念ながら否と言わねばならない。その理由は戦後の保守長期政権の下で、民主的教育運動は受け身的な対応を余儀なくされたこともあり、国の教育政策の変化に対して詳細な分析を怠り、やや外在的な批判で済ませてきたように思われるからである。

このような批判のスタイルの背後には、すべてを体制問題に還元する発想があったように思われる。体制転換によって矛盾が解決されるという発想からは、支配層の政策を正確に分析しようという問題意識は生まれない。今回の道徳の教科化に対しても、同じような発想が影響しているのであろう、現場の教員がこの問題に有効に取り組む上で役に立つような、内在的分析が少ないように思われる。

しかしこのような発想は、結果的に国のやり方を丸ごと受け入れることにつながることになる。体制選択が課題とならない現状においてわれわれに求められるのは、支配層の政策を丁寧に分析し、そこに内在する傾向、特に「否定的な要素」と「よりましな要素」とを切り分け、その上で現実的な対抗戦略を練ることである。それが民主的教育運動の回復と、活性化のための条件だからである。

もちろん、資本主義が末期的な状況にあり、「よりましな要素」が全く存在しなければ、この種のやり方は無意味である。しかし資本主義は矛盾を抱えながらも、未だ既存の秩序を変革していく生命力と「進歩性」を保持しており、この点に内在的分析に基づく、有効な対抗戦略の可能性がある。なおこの進歩性は、資本のグローバルな競争に対応できる人材要求から来ているため、一面性を免れない。この点については最後に触れるつもりである。

今われわれに求められているのは、このような資本の有する進歩的側面を、復古的、権威的教育政策に対抗するために利用する、しなやかな感性なのである。

市民社会的視点の重要性

ところでこの対抗戦略を語る上で求められる、もう一つの条件がある。それは教育を捉える視点の転換、具体的には、階級的視点から市民社会的視点への転換である。階級的視点は体制還元主義と結びついており、党派性が強く、支配階級の教育政策の全否定につながりやすい。一方、市民社会的視点は国家の教育政策に対するより冷静で総合的な対応と結びつく。現代の教育を考える際に決定的に重要なのは、国家の教育改革に対する市民社会的立場からの対応、具体的には国民の教育権に軸足を置いた対応を考えることである。そのことが教育をめぐる対立を左右のイデオロギー的対立としてではなく、国家に対する市民社会の運動としていく上での前提だからである。

その際にキーワードとなるのが、市民社会の成熟である。これを欠く場合、国家の教育利用に対して有効に対抗していくことはできない。しかし次節以降で論じるように、現代日本社会は徐々にではあるが成熟しつつある。したがって社会の成熟を踏まえた対抗戦略によって、歴史の逆流を押しとどめ、日本の民主主義や人権を深化、進展させることは十分可能なのである(1)。

2　道徳教育と市民社会

日本型市民社会の特殊性

さてそこで問題となるのは、現代日本の市民社会の成熟度をどう評価するかである。戦後、教育基本法の制定（一九四七年）により、教育における国家の役割をその条件整備に限定したことが、国家の教育介入の歯止めとなったことは周知の通りである。しかし戦後の民主化が「上からの改革」であったこともあり、民主主義や人権の価値が現場の教育の理念として定着したとは言い難い。この点は道徳教育に対して、主権者教育が欧米に比べても非常に弱いことに現れている。

「一九四〇年体制」論で有名な野口悠紀雄氏は、戦後の経済体制について「体制そのものは……大きく変わってきたが、単一の目標――太平洋戦争と経済成長――のための国家総動員体制であるという点で〝戦時的〟だ」と述べているが(2)、この点は教育についても当てはまる。戦後、軍国主義に適う人材育成から、経済大国建設に適う人材育成へと、教育目標は変わったが、国策に沿う人材を育てるという点では、あまり変わらなかったからである。教育を国策実現の手段と考える傾向は、特に保守派の教育観に強く現れる。朝鮮戦争時の愛国心教育の強調、「天皇への敬愛の念」を説いた「期待される人間像」（一九六六年、中教審答申）、また現在にまで至る保守政治家による、教育勅語の再評価発言などを思い起こすならば、国家による人づくりと、そのために教育支配を当然視する考え方が、日本の支配層の考え方に深く根づいていることが分かる。

逆に言えば、そのような支配層の考え方を許すほど、これまで日本の市民社会が未成熟であったということでもある。道徳の教科化が出てくる背景には、安倍政権の暴走もあるが、市民社会の問題としてみれば、子どもの個性を重視する多様で自由な教育観の不足があった。

加えて市民社会の成熟を阻んできた、日本の特殊な教育環境を上げねばならない。戦後の日本の教育を支配していたのは、受験競争にいかに勝ち抜くかという競争的価値観であった。その背景には、年功制と終身雇用制などの雇用慣行を柱とする、独特な日本型企業システムが存在した。子どもの個性的発達を二義的課題とする日本型受験教育システムは、国の文教政策を超えて独立に機能し、さまざまな矛盾をはらみながら、独自の教育文化を市民社会レベルで形成していた、と言うことができる。

市民社会がこのような受験文化に支配されている限り、管理教育はじめ国家の教育支配に対する抵抗力は育ちにくい。日本において市民社会に根差した教育運動が不十分であったのは、このような理由からなのである(3)。

市民社会の成熟と新たな対抗軸

しかし注目すべきは、近年、経済成長の終焉とともに日本型企業システムが崩れ、効率本位の競争的価値観への反省と、多様なライフスタイル(例えば性的マイノリティや夫婦別姓)を受け容れる文化が生まれてきている、という事実である。このような国民意識の変化は、所得よりもやりがい、ボランティア文化の定着、自然環境との共生、また社会運動としては福島の事故に触発された反原発運動、政治レベルでは、安保法制に対する立憲主義擁護の市民運動(二〇一五年)の活性化として現われている。このような市民意識の成熟傾向は、道徳の教科化を含めた教育の国家管理に対抗する力を、教育をめぐる左右のイデオロギー的対立とは別の次元で育てることになる。

例えば、７章でも取り上げた、北野武著『新しい道徳』（幻冬舎）はその一例である(4)。本書で重要なことは、道徳教育に対する批判が民主的教育関係者の口からではなく、有名タレントによって語られている点である。彼の問題意識の根本にあるのは、子ども中心の道徳教育の主張であり、それを無視する国家や政治への不信感である。これは道徳教育政策に対する市民社会サイドからの反発を意味するものであが、このような市民意識を基盤とすることによって、はじめて国家の教育支配に対抗する運動を、国民的なものとすることができるのである。

市民社会の成熟傾向は、市民の政治意識にも現れる。戦後長期にわたり、国民の政治的色分けは、右から左まで政党別にタテ割りされてきた。これは政・官・業の癒着を軸に展開されてきた成長型経済に対応する、政治的構図であった。しかし近年では、次頁の図に示したように、無党派層の拡大に伴い、政党とは一線を画し、個人として政治的課題をとらえる意識が支配的になってきている。日本型企業主義の内実をなしてきた終身雇用、年功制などを柱とする雇用形態の変化が、この変化の要因となったことは間違いないであろう。

この事実は国家（政党）からの、市民社会の自立を示すものである。立憲主義の立場からの安保法制反対運動などの活性化は、国家や組織から自立した個人を基盤としている。このことは形式化した戦後民主主義に、参加や熟議の要素を盛り込むことを意味しており、今後の教育政策に対する国民的議論を形成する条件となるものである。

ところで、このような市民社会の成熟傾向に真っ向から対立するのが、自民党の憲法草案にあるように、特定の生き方や価値観を国民に指示しようとする、自民党の復古派の考え方である。彼らはリベラルとは異なり、自らの価値観を国民に押し付ける傾向がある。しかし現在の市民社会の成熟傾向からすれば、道徳の教科化に代表される復古派の教育政策によって、国民がからめとられる可能性は低い。この点に戦前との大きな違いが存在する。

市民社会の成熟による国家の教育支配に対する抵抗力は、教科化に至る当局の対応の「ゆらぎ」を生んでいる。教科化を答申した中教審答申（道徳に係る教育課程の改善などについて、二〇一四年）

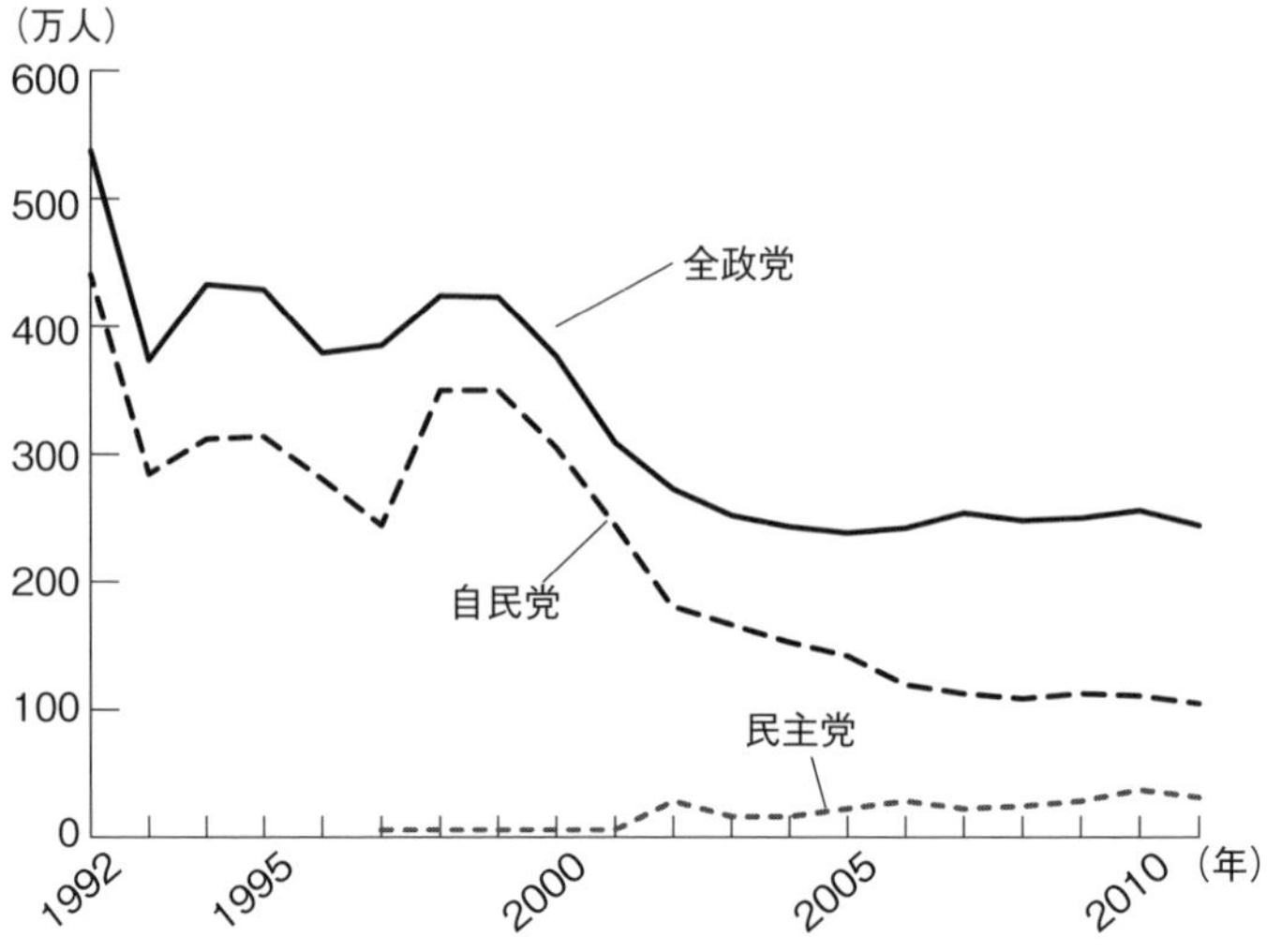

図8―1　党員数の変化
注：自民党の党友、社会党の協力党員、新進党の賛助党員、民主党のサポーターを含む。
出所：中北浩爾『現代日本の政党デモクラシー』岩波書店、2012 年。

の文言では、「児童生徒に特定の価値観を押し付けようとするものではないか」という国民的反発を意識しながら、「道徳教育の本来の使命に鑑みれば、特定の価値観を押し付けたり、主体性を持たず言われるままに行動するよう指導することは、道徳教育が目指す方向とは対極にあるといわなければならない」と述べている。このような弁解は、市民社会の成熟を意識したものと言えるであろう。

3　教科化を逆手に取る

読み物道徳から考える道徳へ

ところで市民社会の成熟傾向を踏まえた、道徳教育の戦略を提案する上で前提となる認識は、中教審の答申にも現れているように、道徳教育政策に現れた二つの矛盾する側面を切り分けることである。具体的に言えば、それは教科化に現れた押し付け道徳と、子どもの主体性を重視する道徳の違いである。前者に対応するのは、権力・権威に従順な保守的人間像であり、後者に対応するのが、世界で活動する経済人を想定した主体的、創造的人間像である。「はじめに」で述べた、支配層の道徳教育政策の矛盾がこの点にある。後者の人間像の狙いは、教科化を推進する担当者（初等中等教育局教育課程課長）の以下のような、やや明け透けな発言に明確に現れている。

「……我が国の持続的な発展のためには、成熟に裏打ちされた感性や技術力を発揮し、潜在内需の掘り起こしとグローバル市場の獲得の二兎を追わなくてはならない」。そのためには「他者の言葉や論理をしっかりと理解し、解釈とともに評価し、自らの意見を論理的に構成した上で表現し、また他者との議論を重ねる」人間像が求められる(5)。

このような要求は、さらに次のような道徳教育に対する注文へとつながっていく。

「……読み物教材の登場人物の心理理解を指導の中心にすえる『読み物道徳』から、問題解決型の学習や体験的な学習などを通じて、自分ならどのように行動・実践するかを考えさせ、自分とは異なる意見と向き合い議論する中で、道徳的価値について多面的・多角的に学び、実践へと結びつけ、さらに習慣化していく指導へと転換することが必要である」(6)。

当局者が求める人間像は、現代の資本主義の発展段階に規定されたものである。上からの指示に忠実に従う権威的人間像は、画一的な大量生産の時代に対応しているが、付加価値の高い商品の開発を死活問題とする先進資本主義は、主体的で創造的な人間を求めることになる。なお知識よりも学ぶ態度を重視する「新学力観」や「生きる力」も、同じ問題意識から出ている。文部当局は経済界の要求を代弁する形で、そのような時代の要請に適う人間の養成を、道徳教育に求めているのである。

このような人間像が、時代逆行的な復古派のそれとは一線を画しているという点で、一定の進歩的性格を有していることを知る必要がある。このことは「考える道徳」を本来の市民道徳育成のために、活かしうる可能性を示唆するものである。

教育政策の二重性とその矛盾

以上の分析から分かるのは、現在の支配層の道徳教育政策の背後には、性格を異にする二つの潮流すなわち、復古的価値の押し付けを企図する潮流と、成長戦略に適う人間の育成を求める潮流とが存在しており、それが形式（教科化）と教育方法論（考える道徳、議論する道徳）の矛盾として現われている、ということである。前者を代表する潮流は日本会議を中心とする復古派であり、後者を代表するのは経済界である。安倍政権の教育政策は、このような両者の潮流の要求が合体した形で提案されているのである。

ただ教科化を主導した教育再生実行会議などの議論を見ても、全体として後者の要請、すなわち経済産業的観点から教育投資のあり方を議論する傾向が勝っている点が重要である。その理由は現在の低成長経済や国家財政の現状を打破するために、経済（成長戦略）が最優先する課題だからであり、政権の維持がその点にかかっているからである。われわれに求められているのは、一体として提案されている教育改革の性格を読み解くことによって、その復古的、イデオロギー的性格と経済的要請との間にある、矛盾を衝く政策論と運動論である。

具体的に求められるのは、まず教科化の問題点を指摘すること、次いで、「考える道徳」を押し付け道徳批判のために利用する柔軟な視点である。すなわち主体的、自律的人間を育てる教育目標が、道徳教育の権威主義化を進める教科化とは矛盾すること理解した上で、「考える道徳、議論する道徳」をそのために逆用する工夫が求められる。教科化されたとしても現場での授業の展開において、現実社会や権力、権威に対して批判的精神に富んだ主体的人間を育てることは可能である。皮肉にも当局が推奨する「考える道徳」が、そのお墨付きを与えているからである。

以上が現場で求められる実践的な課題である。ただこの課題を有効に遂行するためには、現場の教師の高度な教育的技量と地域を巻き込んだ協力が必要である。この点では、道徳教育に熱心な現場の教員による、豊かな実践が積み重ねられていることに学ぶ必要がある(7)。

4 道徳教育の原点に戻る

学校的人間像の一面性

これまでの考察は、現在の情勢に応える現実的な戦略についてであった。しかしそれだけで、道徳教育が十分なものになるわけではない。道徳教育を子どもの心に届くものにしていくには、より根本的な見直しが必要である。というのは、現在の資本主義の発展段階が求める人間像が進歩的内容を含むとはいえ、一面性を免れていないからである。道徳教育において大事なのは、子どもの心に寄り添うことである。文科省担当官が求める、他者の意見を理解し、評価しながら自らの考えを論理的に表現し、議論することは大事ではあるが、そのような行為が生来、苦手な子どもが多いことも事実であろう。

したがって大事なことは、そのような子どもの実像を踏まえること、言い換えれば、人間存在の限界や不条理を学ぶことが先行しなければならない。このような視点を欠くところに、道徳教育をはじめ現在の学校教育の大きな問題が存在する。この点をこれまで教科書的役割を果たしてきた、文科省の副読本『私たちの道徳』の内容に即して改めて見ておこう。たとえば小学校五・六年生用のものを見れば、主として自分自身に係る道徳的内容について、以下のようなタイトルが続く。

（１）節度、節制を心がけて
（２）希望と勇気をもってくじけずに
（３）自律的で責任ある行動を
（４）誠実で明るい心で
（５）進んで新しいものを求めて
（６）短所を改め、長所をのばして

これらのタイトルから分かるのは、学校教育が求めている人間像が、自らの頑張りを通して目標を実現できる強い子どもである、ということである。このような子ども像は、経済界が求める生産性と創造力に富んだ人間像に対応すると考えてよい。しかしそのような人間像が、人間性の現実に合わないことは誰でも知るところである。「理性は感情の奴隷である」と述べたのは哲学者のヒュームであるが、人間は子どもに限らず、欲望に弱く、節度をわきまえず、自らの誤りを常に後悔する存在だからである。また希望と勇気を持って、新しいことを求めるのは良いことであるが、それがかなわず、挫折を経験するのも人生の常である。道徳教育は、そのような子どもの実像を無視するものであってはならない。

学校的価値観の相対化と道徳教育

人間には弱く罪深い本性があり、このような人間の一面を無視することは、道徳教育をいたずらに空疎で、よそよそしいものにする危険がある。皮肉なことに、このような人間のネガティブな一面を説いてきたのは、前近代のイデオロギーである宗教である。以下のルターの一文は、そのような人間の本質を表現している点で興味深い。

「戒めはただ人間がこれによって善に対して無能なことを悟り、自己自身に頼りえないことを知るのに役立つばかりである」(8)

積極的人間像を理想とする前に、人間の弱さや罪深さを見つめることこそ、道徳教育の原点と言うべきであろう。しかしこれは学校にとって容易な課題ではない。学校がしばしばいじめを見落とすように、学校的価値観に支配されている限り、子どもの実像に無頓着になるからである。しかし子どもの実像を無視し、「頑張ることのできる良い子」を目標とする限り、道徳教育が子どもの心に届くことはない。教科化がそのような傾向に拍車をかけるであろうことは、容易に想像できるところである(9)。

ところで学校教育のこのような傾向が生み出す矛盾は、近代学校制度の本質に根差すものと考えるべきであろう。この矛盾は最近では、組体操など運動会のあり方として、また神戸での教師間のいじめ問題(二〇一九年)として現われている。とするならば、国家による子ども像の押し付けに対峙する戦略を考えるためには、近代における学校制度の役割を問い直すことが必要であろう。特に後発の帝国主義国としての戦前の日本の学校が、国民統合の手段として軍隊に模して造られたこと、そのような性格を現在においても完全に払拭しきれていないことを考えるならば、学校制度自体に対するよりラディカルな見直しが求められる。この作業は子どもの実像に沿いながら、成熟しつつある現在の市民社会に見合う、子ども中心の新たな学校制度を模索するための前提でもある。

課題としての教育権の市民社会への再吸収

ところで近代の学校制度とその目標は、子どもの実態としてすでにさまざまな綻びを見せている。いじめや不登校、ひきこもりなどがその代表例である。これらの現象は、近代の学校制度の全体的機能不全として捉えられるべきであり、特定の子どもの特殊な不適応の事例ととらえられるべきではない。このような現実に対して文部当局は、たとえば不登校の生徒に対するフリースクールのように、多様な修学形態を認知せざるを得なくなっている。

また保護者や地域の学校への関与の希薄化は、学校騒音問題やモンスターペアレンツ問題などが示すように、さまざまな矛盾を引き起こしているが、「コミュニティスクール・学校運営協議会」などの政策（二〇〇四年、地方教育行政法改正）は、いわば学校制度の機能不全への対応策として提案されている、と考えて良い。教育再生実行会議は、学校と地域との連携・協働、コミュニティスクールの拡大を提案しているが（二〇一五年）、文科省のホームページには、コミュニティスクールの性格について、以下のようなもっともな説明がある。

「コミュニティスクールとは、学校と保護者や地域の皆さん方とともに、知恵を出し合い、学校運営に意見を反映させることで、一緒に協働しながら子どもたちの豊かな成長を支え『地域とともにある学校づくり』を進める仕組みです」。

これらの政策は、近代学校制度の綻びに対する権力サイドからの弥縫策と言えるが、学校運営に対する地域の協力は、すでに学校の開放や総合学習における地域の教育資源の取り込みなどの形で進行している。これを成熟社会論の立場から捉え直し、国家の教育支配への地域ぐるみの対抗策の手がかりとする視点が求められている。自治体の首長の政治的意向に支配されやすくなった、教育委員会制度の改変（二〇一四年）に対しても、コミュニティスクールが地方政治の暴走の歯止めの役割を果たすことが期待される(10)。

もともと教育権は家庭や地域の共同業務であった。日本でも明治初年の京都では、五〇を超えるそれぞれの地区が、番組小学校と呼ばれる小学校を運営していた。その後、地域社会の教育権は、義務教育を定めた明治五年の学制によって、国家により取り上げられることになる。それが近代日本における教育支配の始まりであった。

われわれに求められているのは、このような歴史の教訓に学びながら、学校制度自体の矛盾を理解し、部分的にでも、教育権を国家から取り戻していく努力である。このように市民社会論的視点から、マクロ的にまた歴史的に問題を捉えることは、道徳の教科化や教科書検定の強化など国家の国民統合と教育管理に対して、より幅広い市民的運動を展開していくための前提である。またそのことが子どもの実像に沿いながら、一人ひとりを大事にする道徳教育の展開につながっていくのである。このような戦略の先には、教科書の検定制度はもちろん、国家が教育目標を定める教育基本法のような法律が無用となるような、新たな教育の世界が拓かれるであろう。そのことは当然のことながら、国家による道徳教育支配の根拠と可能性を奪うことを意味するものである。

【注】

（1）民主的教育運動のあり方については、拙著『成熟社会における組織と人間』（花伝社、二〇一五年）の第４章（民主的教育運動の活性化を考える）で論じているので、参考にしていただけると幸いである。

（2）『１９４０年体制論』（二〇一〇年増補改訂版、岩波書店）一五～一六頁。

（3）もちろん愛知私教連による、父母と結びついた壮大で地道な実践もあったが、残念ながら教職員組合の全体的傾向にはならなかった。

（4）北野武『新しい道徳』（幻冬舎、二〇一五年）。

（5）平成二七年九月号・別冊臨時増刊『初等教育資料』東洋館出版社、二頁。

（6）同三頁。

（7）道徳教育に熱心な現場の教員による工夫に富んだ実践例は、例えば、佐藤幸司『とっておきの道徳授業シリーズ』（日本標準）などに見ることができる。

（8）ルター『キリスト者の自由・聖書への序言』（岩波文庫、一九五五年）一七頁。

（9）道徳教育の原点に関わる問題については、拙著『教科化された道徳への向き合い方』（かもがわ出版、二〇一七年）を参考にしていただきたい。

（10）金子郁容他『コミュニティ・スクール構想』（岩波書店、二〇〇〇年）は、コミュニティスクールが実現する前に、その意義を唱えた書として興味深い。

あとがき

安倍一強体制が続くなか、首相の改憲への野望は止むところが無い。改憲問題が国際情勢の影響を受けることは、言うまでもないが、折しも現代はアメリカの覇権の後退と中国の台頭の下で、世界の秩序が変化の過程にある。

しかも中国の台頭は、全体主義的な国家資本主義によって可能となったものである。人々はこれまで暗黙の内に、社会主義崩壊後の世界を自由と民主主義に象徴される西欧型価値観が普遍化する過程として捉えてきたが、そのような「歴史観」が揺らぎつつあるのである。この点はすでに「西欧の地位の低下」と「地域主義の強化」を予測したS・ハンティントンが、『文明の衝突』（一九九六年）において指摘していたところであった。

日本の場合、この傾向が今後どのような形で現れるのであろうか。そこにはいくつかのシナリオが考えられるが、最悪のケースは安倍首相や日本会議の考えるような、戦前型社会への回帰である。というのは、九条改憲は突破口に過ぎず、「戦後レジームからの脱却」という政治スローガンからも分かるように、彼の狙いは「戦争のできる国」づくりによって、平和と民主主義、人権を軸とする戦後日本の体制を変質させ、日本を戦前型価値観が支配する「美しい国」に変えるところにあるからである。

もちろん憲法原理が定着しつつある現在の日本社会が、簡単に戦前型社会に戻るとは考えにくい。

私自身、成熟社会論の立場からそのように論じてきた。しかし本書で批判したような自民党憲法草案（二〇一二年）の反近代的、復古主義的性格、またそれを先取りした道徳教育の教科化すなわち、かつての修身科型道徳教育の復活などをみると、予断は許されない。

自由と多様性を重視する現代市民社会は、グローバル化による国民的アイデンティティの揺らぎのなかで、排外的右派ポピュリズムのような全体主義的政治傾向に対して、抵抗力を欠くところがある。それは個人主義と議会制民主主義が固有の弱点を抱えているからである。

本書出版の主旨は、そのような時代の傾向に対する危機感から、全体主義的復古主義に対抗する新たな戦略を提案するところにある。なお収録した論文の多くは、ここ一〜二年の間に各誌に掲載されたものである。各章の間で重複する部分は大幅にカットしたり、書き換えたりした。またタイトルを変えたものもあるが、以下に出典を示しておく。

第一章　安倍政権の特異な性格と自民党改憲草案
第二章　復古主義と現実主義のはざま
第三章　安倍政権の暴走と議会制民主主義の矛盾
（以上は『地域と人権』二〇一九年九、一〇月号に掲載。なお一章と三章の「補論」は書き下ろし）
第四章　立憲主義だけで闘えるのか——近代個人主義と民主主義の限界を問う——
（季刊『フラタニティ』二〇一九年五月）

第五章　自民党改憲草案の論理と真の愛国心
（部落問題研究所紀要『部落問題研究』二〇一三年）
第六章　近代民主主義の矛盾とポピュリズム
（『日本の科学者』二〇一八年一二月号）
第七章　国家と道徳教育――教育支配への対抗軸を考える――
（『人権と部落問題』二〇一九年一一月号）
第八章　道徳教育の教科化への向き合い方――市民社会論の立場から――
（部落問題研究所紀要『部落問題研究』二〇一六年）

最後になったが、本書の出版を快く引き受けてくれた本の泉社の新舩海三郎氏、また編集の実務を担当していただいた田近裕之氏には、この場を借りて厚くお礼申し上げたい。本書が復古派の野望をくじき、日本の人権と民主主義の前進に役立つことを願ってやまない。

●著者略歴
碓井 敏正（うすい としまさ）

1946年、東京都生まれ。1969年、京都大学文学部哲学科卒業。
1974年、京都大学大学院博士課程哲学専攻修了。
専攻：哲学
現在：京都橘大学名誉教授、大学評価学会顧問、ＮＰＯ法人「おひとりさま」理事長
主著：『自由・平等・社会主義』（文理閣、1994年）
『戦後民主主義と人権の現在』（部落問題研究所、1996年　増補改訂版2001年）
『日本的平等主義と能力主義、競争原理』（京都法政出版、1997年）
『現代正義論』（青木書店、1998年）
『国境を超える人権』（三学出版、2000年）
『グローバル・ガバナンスの時代へ』（大月書店、2004年）
『グローバリゼーションの権利論』（明石書店、2006年）
『人生論の12週』（三学出版、2007年）
『格差とイデオロギー』（大月書店、2008年）
『成熟社会における人権、道徳、民主主義』（文理閣、2010年）
『革新の再生のために』（文理閣、2012年）
『成熟社会における組織と人間』（花伝社、2015年）
『教科化された道徳への向き合い方』（かもがわ出版、2017年）
編著：『グローバリゼーションと市民社会』（文理閣、望田幸男氏との共編、2000年）
『ポスト戦後体制の政治経済学』（大月書店、大西広氏との共編、2001年）
『教育基本法「改正」批判』（文理閣、2003年）
『格差社会から成熟社会へ』（大月書店、大西広氏との共編、2007年）
『成長国家から成熟社会へ――福祉国家論を超えて』
（花伝社、大西広氏との共編、2014年）

しのび寄る国家の道徳化

2020年3月26日　初版第1刷発行

著　者　碓井《うすい》　敏正《としまさ》

発行所　株式会社 本の泉社
〒113-0033 東京都文京区本郷 2-25-6
電話：03-5800-8494　Fax：03-5800-5353
mail@honnoizumi.co.jp ／ http://www.honnoizumi.co.jp
発行者　新舩海三郎
DＴＰ　田近　裕之
印　刷　新日本印刷株式会社
製　本　村上製本所

ISBN978-4-7807-1961-1　C0036